De

Para

Data

bvbooks
BV Films Editora Eireli
Rua Visconde de Itaboraí, 311
Centro | Niterói | RJ | 24.030-090
55 21 2127.2600 | www.bvbooks.com.br

EDITOR RESPONSÁVEL
CLAUDIO RODRIGUES

ADAPTAÇÃO DA CAPA
JOSNEI FORMAGIO - EFFE COMUNICAÇÃO

DIAGRAMAÇÃO
JOSNEI FORMAGIO

TRADUÇÃO
DAIANE DE OLIVEIRA

REVISÃO TEXTUAL DA EDIÇÃO
REVISADA E AMPLIADA
MIRIAM LIBÓRIO
MARCIA FREIRE
SUZANNE MENDONÇA
CLAUDIO RODRIGUES

As passagens bíblicas utilizadas nesta obra foram retiradas da Bíblia King James 1611.

Os conceitos concebidos nesta obra não, necessariamente, representam a opinião da bvbooks, selo editorial BV Films Editora Ltda. Todo o cuidado e esmero foram empregados nesta obra; no entanto, podem ocorrer falhas por alterações de software e/ou por dados contidos no original. Disponibilizamos nosso endereço eletrônico para mais informações e envio de sugestões: faleconosco@bvbooks.com.br.

KENDRICK, Stephen and Alex; KINBROUGH, Lawrence.
O Desafio de Amar. Rio de Janeiro: bvbooks, 2019.

ISBN	978-85-61411-03-9
1ª Edição	Março/2009
23ª Reimpressão	Maio/2019
Impressão e Acabamento	Promove
Categoria	Amor | Casamento | Literatura Devocional

Impresso no Brasil | Printed in Brazil

O Desafio de Amar

O Desafio de Amar

EDIÇÃO REVISADA E AMPLIADA

STEPHEN & ALEX
KENDRICK
COM LAWRENCE KIMBROUGH

bvbooks

Receba esse livro como um alerta.
Essa jornada de quarenta dias não
pode ser encarada superficialmente.

Ela é um desafio e, na maioria
das vezes, um processo difícil, mas,
incrivelmente, recompensador.
Aceitar esse desafio exige mente
determinada e decisões firmes.

O seu propósito não é o de ser
experimentado ou testado por pouco
tempo, e aqueles que desistirem cedo
perderão os maiores benefícios.
Se você se comprometer com um dia
de cada vez, em um período de quarenta
dias, os resultados poderão mudar a
sua vida e o seu casamento.

Considere esse livro um desafio vindo
de quem já o aceitou antes de você.

PREPARE-SE PARA A JORNADA

Prefácio do Autor

Quando *O Desafio de Amar* foi publicado, pela primeira vez em 2008, não se podia imaginar qual seria a resposta. Sentimo-nos honrados e surpreendidos ao ver que, rapidamente, tornou-se êxito internacional de vendas e que permanece na lista de mais vendidos do *The New York Times* por mais de três anos. Milhões, em todo o mundo, embarcaram na jornada de *O Desafio de amar* e começaram a aprender e praticar estes princípios em suas relações interpessoais. Choveram incontáveis e-mails contando-nos como o romance se reavivara, matrimônios prestes a acabar salvaram-se, e olhos se abriram para a natureza do amor verdadeiro e comprometido. Conselheiros matrimoniais e pastores começaram a usar o livro para fortalecer os casais sob seus cuidados. Advogados e juízes especializados em divórcios, também, principiaram a aconselhar casais que resolveram seus conflitos assistindo ao filme *Prova de Fogo,* e lendo o livro *O Desafio de Amar,* em vez de fazê-lo no tribunal.

Comoveu-nos ouvir que soldados, ao regressarem da guerra a seus lugares, usavam *O Desafio de Amar* para restaurar seus casamentos. Pais com a síndrome do ninho vazio relataram, entusiasmados, como estavam reavivando o romance. Um homem leu o livro seis vezes com sua esposa, porque aprendiam muito e desfrutavam da experiência juntos. Também nos inteiramos de que um ancião se levantou em meio a um evento público e exclamou: "Quero que todos saibam que acabo de pôr em prática *O Desafio de Amar* e amo minha esposa como nunca amei antes!"

Damos graças a Deus por cada pessoa, matrimônio, e família que têm sido beneficiados e abençoados por esta jornada. Reconhecemos que o Senhor é quem muda corações e ressuscita casamentos mortos. Estamos agradecidos que tenha nos permitido unirmo-nos a Ele para compartilhar, com esta geração, tais verdades eternas sobre o amor.

Portanto, com gratidão, apresentamos a versão atualizada de *O Desafio de Amar.* É mais que uma nova empreitada. Revisamos o manuscrito original com cuidado e reformulamos quase todos os capítulos, inserindo novos conceitos, mas mantendo a ideia e o formato geral. Além disso, proporcionamos novos recursos nos apêndices e compartilhamos respostas de leitores ao final de cada dia, para animá-lo em sua travessia.

Continua sendo *O Desafio de Amar*... Porém, muito melhor!

Se for a primeira vez que o põe em prática, vai descobrir que alguns princípios podem parecer modestos e naturais para você, mas que, também, outros são novos e não parecem tão simples assim. A chave não está no que já se sabe sobre o amor, nem no que se pode descobrir nesta leitura, senão no que se pode fazer e implementar no relacionamento de forma coerente. Conhecer, simplesmente, essas verdades não transformará seu casamento. É preciso aplicá-las. Amar tem de ser um verbo cotidiano e ativo, não uma percepção ou sentimento latente. Cada vez que você pensa "isso eu já sei", deveria também considerar porém, "Eu pratico tal atitude?" Esperamos que esse livro e essa experiência impulsionem você a pensar e viver de maneira nova e dinâmica.

Antes de começar, gostaríamos de responder cinco perguntas que têm surgido repetidas vezes.

1. *Deveria ler* O Desafio de Amar *sozinho ou com meu cônjuge?*

Se o seu cônjuge está disposto a acompanhá-lo, podem ler o livro juntos e divertirem-se no intento de "superar" um ao outro com cada desafio. Se não, considere mantê-lo em segredo, e desfrute de sua curiosidade, enquanto se pergunta o que estará acontecendo.

2. *E se meu cônjuge se informa e me censura: "Só estás sendo amável comigo porque o livro recomenda?"*

Você pode contestar: "Não há nada que me obrigue a fazer isto. Eu decido se faço ou não. É verdade que ele me proporciona novas ideias, mas estou lendo, justamente, porque quero ser mais amoroso e aprender a expressar melhor meu amor. Agora que sabe, desafio você a lermos o livro juntos".

3. *E se me atraso e não posso seguir o ritmo?*

Não sinta culpa se não pode cumprir cada desafio com perfeição. Siga seu próprio ritmo. Se em algum momento estancar, lembre-se de que conquistar espaço e chegar até o final é mais importante que terminar em quarenta dias. Se esforce, ao máximo, diante dos ajustes necessários e procure percorrer, adequadamente, os dias.

4. *E se estou separado ou divorciado?*

Em vez de se dar por vencido, seja criativo. Concentre-se no que pode fazer por seu cônjuge ou seu ex. Alguns têm lido o livro, guardado desafios e completado os pertinentes quando surge a oportunidade durante os momentos limitados de interação. Outros têm transformado esses desafios em orações por seus cônjuges ou os realizaram pelo correio ou internet. Sinceramente, adapte sua situação e aceite o desafio para seu próprio bem. Casais separados por transferência de trabalho, serviço militar, ou viagem, também podem aplicar estes enfoques criativos e desfrutarem das bênçãos desta experiência.

5. *E se meu cônjuge não responde como espero?*

Simplesmente, vá adiante. Nessa jornada importa mais aprender a amar, e não tanto a resposta de seu cônjuge. Temos descoberto que alguns respondem bem logo em seguida. Outros necessitam mais tempo. Se existem anos de dor e destruição emocional no meio, será necessária muita contribuição, e a restauração será mais lenta. Ainda que esteja tudo bem, seu cônjuge talvez não saiba como receber amor e quem sabe, a princípio, reaja de forma negativa como se estivesse provando sua sinceridade e perseverança. Seja paciente e pense a longo prazo. Um homem não se rendeu, e então, leu e pôs em prática *O Desafio de Amar* três vezes antes de sua esposa, por fim, se quebrantar e concordar com ele para restaurar seu casamento. Ainda que ela não o tenha feito, o que ele aprendeu foi incalculável para sua vida. Jamais subestime o poder do amor incondicional. Aceite o desafio confiando que não está só, existem outros que o encorajam.

Há pouco, um casal nos lembrou de quão valioso é o deleite do matrimônio ao nos contar sua história pessoal: como se reconciliaram e tornaram a se casar depois de estarem divorciados por 27 anos. Seu testemunho de maneira absoluta nos inspirou profundamente. Confirmou, mais uma vez, que mesmo em tempos difíceis, o matrimônio sempre é valioso e vale a pena lutar por ele.

Nossa esperança para você é que essa aventura renove sua relação de forma extraordinária. Enquanto aprende, que você possa compartilhar sua história com outros para inspirá-los e animá-los em sua trajetória. Atreva-se a amar!

Bênçãos para você,

Stephen e Alex Kendrick
Autores de *O Desafio de Amar*

Segui a caridade... (1 Coríntios 14.1a)

E CONSIDEREMO-NOS UNS AOS OUTROS, PARA NOS ESTIMULARMOS AO AMOR E ÀS BOAS OBRAS.

HEBREUS 10:24

AGORA COMECEMOS

Introdução

AS ESCRITURAS DIZEM que Deus projetou e criou o casamento para ser algo bom. Ele é um presente lindo e inestimável. Deus usa o casamento para nos ajudar a acabar com a solidão, multiplicar nossa eficiência, construir famílias, criar filhos, curtir a vida e nos abençoar com o relacionamento íntimo. Mas além disso, o casamento também nos mostra a necessidade de crescer e de lidar com nossas próprias dificuldades e com o egocentrismo, através da ajuda de um companheiro para toda a vida. Se somos "ensináveis", iremos aprender a fazer aquilo que é mais importante no casamento – amar. Esta poderosa união mostra-lhe o caminho para amar, incondicionalmente, outra pessoa imperfeita. Isso é maravilhoso. É difícil. É uma mudança de vida.

O livro é sobre o amor, sobre a aprendizagem e sobre o desafio de viver um relacionamento amoroso. E essa jornada se inicia com a pessoa que está mais próxima de você: seu cônjuge. Que Deus o abençoe nesta aventura.

Mas esteja certo de uma coisa: você precisará de coragem. Ao aceitar esse desafio, você precisa ter a consciência de que ao invés de seguir o coração, terá que governá-lo. O mundo diz para seguir o coração, mas se você não estiver governando o seu, então alguém ou alguma outra coisa estará. A Bíblia diz que "O coração é enganoso acima de todas as coisas" (Jr 17:9), e ele sempre perseguirá aquilo que parece certo no momento.

Nós desafiamos você a pensar de maneira diferente – escolher direcionar o seu coração para aquilo que será melhor ao longo do caminho. Essa é a chave para relacionamentos permanentes e recompensadores.

A jornada de *O Desafio de Amar* não é um processo para tentar fazer do seu cônjuge a pessoa que você quer que ele seja. Com certeza, você já descobriu que o esforço em tentar mudar seu marido ou sua esposa acabou em fracasso e frustração. Pelo contrário, essa é uma jornada de exploração e demonstração genuína de amor, mesmo quando o seu desejo acaba e quando as suas motivações estão enfraquecidas. A verdade é que o amor é uma decisão e não, apenas, um sentimento. Ele não busca os seus próprios interesses, é sofredor e transformador. E quando o amor é demonstrado verdadeiramente, como foi planejado para ser, o seu relacionamento tem grandes chances de mudar para melhor.

Em cada dia dessa jornada estão incluídos três elementos muito importantes:

Primeiro, um aspecto único do amor será discutido. Leia cada um desses aspecto, cuidadosamente, e esteja aberto a um novo entendimento do que significa amar alguém verdadeiramente.

Segundo, você terá um desafio específico para fazer com o seu cônjuge. Alguns serão fáceis e outros bem desafiadores. Mas leve cada desafio a sério e seja criativo e corajoso o suficiente para realizá-lo. Não desista se situações externas o impedirem de completar um desafio específico. Apenas o faça o mais rápido possível e prossiga na jornada.

Por último, você terá um espaço para anotar o que está aprendendo, fazendo e como o seu cônjuge está reagindo. É importante que você aproveite esse espaço para registrar o que está acontecendo com você e seu cônjuge ao longo do caminho. O seu progresso estará registrado nessas anotações que, provavelmente, tornarão inestimáveis para você no futuro.

Lembre-se: você tem a responsabilidade de proteger e guiar o seu coração. Não desista e não fique desencorajado. Decida dirigi-lo e agir assim até o final. Aprender a amar, verdadeiramente, é uma das coisas mais importantes que você fará.

E agora permanecem a fé, a esperança e a caridade, estas três; mas a maior destas é a caridade. (1 Coríntios 13:13)

AINDA QUE EU FALASSE AS LÍNGUAS DOS HOMENS E DOS ANJOS, E NÃO TIVESSE CARIDADE, EU ME TORNARIA COMO O BRONZE RESSOANTE OU UM CÍMBALO TILINTANTE.

E AINDA QUE EU TIVESSE O DOM DE PROFECIA, E ENTENDESSE TODOS OS MISTÉRIOS, E TODO O CONHECIMENTO, E AINDA QUE EU TIVESSE TODA A FÉ, DE TAL MANEIRA QUE EU PUDESSE REMOVER MONTES E NÃO TIVESSE CARIDADE, EU NADA SERIA.

E AINDA QUE EU DISTRIBUÍSSE TODOS OS MEUS BENS PARA ALIMENTAR OS POBRES, E AINDA QUE EU ENTREGASSE O MEU CORPO PARA SER QUEIMADO, E NÃO TIVESSE CARIDADE, DE NADA ME APROVEITARIA.

1 CORÍNTIOS 13:1-3

1º DIA

O Amor é paciente

Com toda a humildade e mansidão, com longanimidade, suportando-vos uns aos outros em amor. (Efésios 4:2)

O amor funciona. É o motivador mais poderoso e puro da vida, e sua profundidade e significado são bem maiores em relação ao que a maioria das pessoas pensa. Ele infunde valentia ao covarde e sabedoria ao néscio. Sempre faz o que é melhor para os outros, e tem o poder de nos fortalecer para enfrentar o mais terrível problema.

O amor pode motivar um homem a deixar para trás questionamentos infantis, suprir sua família, e lutar, apaixonadamente, pelo que acredita: como atravessar um oceano para batalhar por seu país. O amor pode levar uma mulher a conectar-se, emocionalmente, em relacionamentos interpessoais, consolar os que sofrem ao seu redor, proteger seus filhos, e estender mão bondosa aos que dela precisam.

Nascemos com uma sede perpétua de amor. Nosso coração precisa de amor, assim como nossos pulmões precisam de oxigênio. O amor muda nossa motivação de vida. Os relacionamentos tornam-se significativos com ele. Nenhum casamento é bem-sucedido sem amor.

O amor é construído sobre dois pilares que o definem perfeitamente: *paciência* e *bondade*. Suas demais características são extensões desses dois atributos. E, aqui, começa o seu desafio: com a *paciência*.

O amor o inspira a transformar-se em uma pessoa paciente. Quando decide ser paciente, você responde de maneira positiva a uma situação negativa. Você é tardio em irar-se. Prefere ter um "pavio longo" em vez de se irritar facilmente. Ao invés de ser impaciente e exigente, ele o ajuda a se acalmar e a transmitir misericórdia aos que o rodeiam.

Ninguém gosta de ter uma pessoa impaciente por perto. A impaciência faz você reagir com raiva exagerada, insensatez e de modo lamentável. A raiva diante de uma ação injusta, ironicamente, gera novos agravos. Quase nunca torna as coisas melhores. Na verdade, geralmente, cria mais problemas. Desfaz antigos vínculos, ao reagir frente a contratempos momentâneos.

Mas a *paciência* paralisa qualquer contratempo. Ela é mais do que morder a língua, mais do que botar a mão na boca, é um respirar profundo e necessário. Ela purifica o ar.

Não deixa que a insensatez espalhe seu veneno por toda casa. Ter paciência é decidir controlar suas emoções, ao invés de permitir que estas o controlem; e demonstrar tato, ao invés de pagar mal com mal. Traz paz interior em meio a uma tempestade exterior.

Se o seu cônjuge o ofende, você revida, rapidamente, ou se controla? A raiva é um estado emocional predeterminado quando o tratam injustamente? Se a resposta for sim, você está espalhando veneno ao invés de remédio.

Se você tirar a máscara, verá que a raiva é uma reação emocional que surge de nossa própria ignorância, insensatez e egoísmo. Ao contrário, a paciência nos torna sábios. Responde: "Ajuda-me a entender", em lugar de: "Como se atreve?!" Não se apressa a tirar conclusões, sem deixar em *espera* nossos sentimentos, para poder escutar a outra pessoa. Ela espera na entrada, enquanto a raiva deseja invadir com violência. Aguarda para ver toda a situação antes de julgar. A Bíblia diz: "Aquele que é tardio em irar-se é grande em entendimento, mas aquele que é de espírito impaciente, exalta a loucura"(Pv 14:29).

Assim como a falta de paciência fará do seu lar uma zona de guerra, a prática da paciência estimulará a paz e a tranquilidade. "Um homem irado atiça contendas, mas aquele que é tardio em irar-se apaziguará a luta" (Pv 15:18). Frases como essas, do livro de Provérbios, são princípios claros de aplicação eterna. A paciência é o ponto onde o amor se une à sabedoria. E todo casamento precisa dessa combinação para permanecer saudável.

O amor dá ao seu cônjuge o direito de ser humano. Compreende que todos falhamos... diariamente. Então, quando o outro se equivoca, a paciência decide dar mais tempo do que ele(a) precisa para corrigir-se. A paciência lhe proporciona a incrível capacidade de resistir durante os tempos difíceis, ao invés de ruir diante das pressões.

Para tanto, realize uma autoavaliação. Com que rapidez você explode? Quanto você suporta até reagir? Está disposto a esperar com um sorriso? Seu cônjuge pode contar com sua paciência? Sua esposa pode ter certeza de que se ela trancar as chaves dentro do carro poderá contar com sua compreensão ao invés de ouvir um sermão que a fará sentir-se como uma criança? Seu esposo pode se assegurar de que, se comemorar os últimos segundos do jogo de futebol, não vai ouvir uma lista de sugestões de como poderia usar melhor o seu tempo?

Como seria o tom e volume de seu lar se você colocasse em prática essa abordagem bíblica: "Vede que ninguém dê mal por mal a nenhum homem, mas segui o que é bom, tanto uns para com os outros como para com todos os homens" (1Ts 5:15)?

Poucos de nós praticam a paciência de forma adequada, e nenhum de nós a pratica naturalmente. Mas o homem e a mulher sábios verão a paciência como um ingrediente essencial para o vínculo matrimonial. Este é um bom ponto de partida para demonstrar amor verdadeiro.

Essa jornada de *O Desafio de Amar* é um processo, e a primeira atitude que você deve tomar é demonstrar paciência dia a dia. Pense nisso como uma maratona, não como uma corrida de 100 metros rasos. Uma maratona que vale a pena correr.

DESAFIO DE HOJE

A PRIMEIRA PARTE DO DESAFIO DE HOJE É BASTANTE SIMPLES. APESAR DO AMOR SE COMUNICAR DE VÁRIAS FORMAS, AS PALAVRAS, NA MAIORIA DAS VEZES, REFLETEM O ESTADO DO NOSSO CORAÇÃO. PARA O PRÓXIMO DIA, DECIDA DEMONSTRAR PACIÊNCIA E DE MODO ALGUM DIGA ALGO NEGATIVO PARA O SEU CÔNJUGE. SE A TENTAÇÃO SURGIR, NÃO DIGA NADA. É MELHOR SEGURAR A LÍNGUA DO QUE DIZER ALGO DE QUE POSSA SE ARREPENDER DEPOIS.

- Anote, aqui, quando o desafio de hoje estiver completo.

Aconteceu alguma coisa hoje que o deixou com raiva do seu cônjuge? Você foi tentado a ter pensamentos condenáveis e a expressá-los com palavras?

____

____

____

____

____

____

____

Todo o homem esteja pronto para ouvir, tardio em falar, tardio em irar-se (Tg 1:19).

"Dedique-se a isto de todo coração, e logo começarás a ver mudanças". — Eilba

2º DIA
O Amor é bondoso

E sede amáveis uns para com os outros, compassivos, perdoando-vos uns aos outros, como também Deus vos perdoou por causa de Cristo. (Efésios 4:32)

A bondade é o amor em ação. Se a paciência é a maneira pela qual o amor *reage* para minimizar uma circunstância negativa, a bondade é a maneira como o amor *age* para maximizar uma circunstância positiva. A paciência evita um problema; a bondade gera uma bênção. Uma é preventiva, a outra é ativa. Esses dois lados do amor são a pedra fundamental sobre a qual são construídos muitos dos outros atributos sobre os quais discutiremos.

O amor o torna bondoso, e a bondade o torna agradável. Quando você é bom, as pessoas desejam ficar ao seu redor. Percebem que você é bom com elas e que trabalha para beneficiá-las.

A Bíblia destaca a importância da bondade: "Que a misericórdia e a verdade não te abandonem; ata-as ao teu pescoço, escreve-as na tábua do teu coração; assim acharás o favor e o bom entendimento à vista de Deus e do homem" (Pv 3:3-4). Pessoas cordiais acham favor onde quer que estejam até mesmo em casa.

Entretanto, "bondade" pode parecer um termo genérico para ser definido; e mais ainda para ser posto em prática. Então, vamos dividi-la em quatro ingredientes principais:

Gentileza. Quando você age com bondade, é cuidadoso na maneira como trata seu cônjuge e jamais é severo em demasia, senão sensível e terno. Mesmo quando for necessário decidir algo difícil, fará todo o possível para que sua advertência seja fácil de ouvir. Você fala a verdade com amor.

Iniciativa. A bondade pensa à frente, e dá o primeiro passo. Ela não se senta, esperando ser estimulada ou forçada a sair do sofá. O marido ou a esposa gentil será o que cumprimenta primeiro, sorri primeiro, serve primeiro e perdoa primeiro. Ele(a) não espera o outro agir para então demonstrar amor. Quando agimos segundo a bondade, vemos as necessidades, e então tomamos a atitude primeiro.

Serviço. Ser cordial significa suprir as necessidades do momento. Tratando-se de tarefas domésticas, põe-se a trabalhar. Um ouvido? Você dá o seu. A bondade agracia a esposa com a habilidade de servir ao marido sem se preocupar com os seus próprios direitos. A bondade torna o marido curioso para saber as necessidades da esposa, e depois o motiva para ser aquele que fará de tudo para suprir essas necessidades – mesmo que as dele sejam postas em segundo plano.

Boa vontade. A bondade o inspira a ser agradável. Ao invés de ser obstinado, relutante ou teimoso, você coopera, é flexível. Em lugar de reclamar ou dar desculpas, você busca razões para se comprometer e ajudar. Um marido gentil acaba com mil possibilidades de discussões, se estiver disposto a escutar antes de exigir que se faça o que ele quer.

Jesus descreveu de forma criativa a bondade do amor na parábola do bom samaritano, encontrada na Bíblia – Lucas, capítulo 10.

Um homem judeu, atacado por assaltantes, foi deixado quase morto em uma estrada deserta. Um sacerdote e um levita, respeitados no meio do povo, passaram pelo outro lado decidindo não parar. Muito ocupados. Muito importantes. Apreciadores de mãos limpas. Mas um homem comum de outra etnia – os odiados samaritanos, cujo ódio pelos judeus era cruel e mútuo – vê o homem em sua necessidade e é movido de compaixão. Atravessando todos os limites culturais e arriscando se expor ao ridículo, parou para ajudar o homem. Enfaixando-lhe as feridas e colocando-o sobre seu próprio animal, o carrega até uma hospedaria e paga todas as despesas médicas do seu próprio bolso.

Onde anos de racismo causaram rixa e divisão, um ato de bondade aproximou dois inimigos. Gentilmente, prestativamente, de boa vontade. Tomando a iniciativa, esse samaritano demonstrou a bondade verdadeira de todas as maneiras possíveis.

Jesus ilustrou como o amor pode fazer que até mesmo inimigos se ajudem mutuamente com cordialidade. Se os inimigos podem fazê-lo, quanto mais as pessoas que se conhecem intimamente? Como pode o amor aumentar a bondade em suas relações interpessoais? E em seu matrimônio?

A Bíblia descreve uma mulher cujo marido e filhos a abençoam e honram. Entre todos os seus atributos, se destacam esses: "Ela abre a sua boca com sabedoria, e a sua língua é lei da bondade" (Pv 31:26).

E você? Como seu marido ou sua esposa o descreveriam à luz da bondade? Você é áspero? É gentil e prestativo? Você espera que lhe peçam alguma coisa ou toma a iniciativa de ajudar? Não espere seu cônjuge ser bondoso primeiro para que então, você pratique a bondade.

É difícil expressar amor quando existe pouca ou nenhuma motivação. Mas o amor, em sua essência, não é baseado em sentimentos. Pelo contrário, faz parte da natureza do amor ter consideração e ser atencioso, mesmo quando parece não haver recompensa. Você nunca aprenderá a amar até que aprenda a demonstrar bondade.

DESAFIO DE HOJE

NO DESAFIO DE HOJE, TAMBÉM NÃO DIGA NADA DE NEGATIVO AO SEU CÔNJUGE. FAÇA UM GESTO INESPERADO, REALIZE UM ATO AMÁVEL.

- Anote, aqui, quando o desafio de hoje estiver completo.

Que descobertas sobre o amor você fez hoje? O que você fez, especificamente, em relação a esse desafio? Como você demonstrou bondade?

O desejo de um homem é sua bondade. (Pv 19:22)

"Havia me esquecido como amar e ser amada.
Estou no dia 2 e começo a ver a luz outra vez". — Sabrina

3º DIA

O Amor não é egoísta

Sede amigavelmente afeiçoados uns aos outros com amor fraternal, preferindo-vos em honra uns aos outros. (Romanos 12:10)

Egoísmo e amor estão em permanente oposição. Enquanto o amor nos pede que neguemos a nós mesmos pelo bem da outra pessoa, o egoísmo nos pressiona a nos concentrarmos em nossas necessidades à custa das demais pessoas. O egoísmo é como uma enfermidade que asfixia nossa capacidade de amar. Quando escolhemos concentrarmo-nos em nós mesmos, nos tornamos mais difíceis de tratar: mais dependentes, suscetíveis em demasia e exigentes. Então, quando as coisas não saem como esperamos, julgamos os demais com dureza sem ver nossas falhas.

Por desgraça, vivemos em um mundo que é presa de si mesmo. A cultura nos ensina a nos concentrarmos em nossa aparência, sentimentos e desejos pessoais como se fossem prioridade fundamental. Vemos com desdém essa qualidade nos outros, mas a justificamos em nosso caso. "Eu mereço..". "espero..". e "quero..". são porções com as quais alimentamos nosso egoísmo. Lamentavelmente, todos trazemos o egoísmo arraigado desde o nascimento. Ele pode ser visto no comportamento das crianças e, com frequência, na desavença entre adultos. O início de todo ato pecaminoso pode encontrar-se em uma motivação egoísta. E seus perigos tornam-se, dolorosamente, evidentes uma vez dentro da relação matrimonial.

O matrimônio põe em evidência nosso egoísmo. Quando um marido coloca os seus interesses, desejos e prioridades à frente de sua esposa, é sinal de egoísmo. Quando uma esposa reclama constantemente sobre o tempo e a energia gastos em suprir as necessidades de seu marido, é sinal de egoísmo. O mau humor e a queixa são egoísmo disfarçado. A indolência e a irresponsabilidade são outras máscaras que usa. Vangloriar-se e fazer alarde. Aborrecer-se com facilidade. Falar demais. Não escutar nunca. A lista é extensa. Mesmo os atos de generosidade podem ser egoístas se a motivação é vanglória ou receber recompensa.

Ao ler isso, você se concentrou na tendência de seu cônjuge de fazer algumas destas coisas, porém ignorou a sua? Por que temos parâmetros tão baixos para nós mesmos e expectativas tão altas para nosso cônjuge? A resposta é cruel: todos lutamos com o egoísmo. Em resumo: você toma decisões por amor a outros ou por amor a você mesmo.

Porém, o amor "não busca os seus interesses" (1Co 13:5). A beleza disso é que encontra sua satisfação no bem-estar dos demais. Pessoas amorosas, em casamentos cheios de amor, estão decididas a baixar a cabeça e cuidar do outro ser humano com quem resolveu compartilhar a vida. Compreendem que, ao se casarem, entregaram-se por completo e abriram mão do direito de viver para si mesmas. Trata-se de por a felicidade do outro acima da própria.

Privilegiar o amor ao seu cônjuge fará com que diga "não" ao que você quer e "sim" ao que o outro necessita. Isso não quer dizer que não possa se satisfazer, mas não invalida a felicidade de seu cônjuge em função de seus próprios interesses. Além do mais, o amor traz liberdade interior. Ajuda a libertar-se da ansiedade que produzem as expectativas pouco realistas e as exigências insatisfeitas. Quando se prioriza o bem-estar do cônjuge, ocorre uma satisfação inigualável que as ações egoístas não podem reproduzir.

É prazeroso estar com pessoas abnegadas. São os melhores amigos e cônjuges. Estão sempre dispostos a deixar de lado seus ciúmes e exigências para entregar-se à alegria de amar, servir e doar-se. Na prática, isso, geralmente, pode significar permitir uns segundos a seu cônjuge para ir primeiro, falar primeiro ou que o sirvam primeiro. Quanto mais você aprender a resistir sua natureza egoísta, mais forte, amoroso e feliz será.

Ninguém o conhece tão bem quanto seu cônjuge. Isso significa que ninguém reconhecerá com maior rapidez uma mudança quando, de forma deliberada, você começar a sacrificar suas necessidades e desejos para se assegurar de que os outros estejam satisfeitos. Seu esforço pode ser recebido com calor ou com silenciosa suspeita, mas sem dúvida seu cônjuge o notará.

Se o desafio de hoje lhe parece difícil de digerir, e lhe frustra a ideia de sacrificar seus desejos para beneficiar seu cônjuge, talvez tenha um problema mais profundo com o egoísmo do que queira admitir.

Faça essas perguntas para você mesmo:

- Eu realmente desejo o que é melhor para o meu marido ou para a minha esposa?
- Eu quero que ele(a) se sinta amado(a) por mim?
- Ele(a) acredita que eu tenho seus maiores interesses em mente?
- Ele(a) me vê buscando os meus interesses em primeiro lugar?

Lembre-se, o(a) seu(sua) companheiro(a) também tem o desafio de amar uma pessoa egoísta. Então, seja o primeiro a demonstrar amor verdadeiro, com os seus olhos bem abertos. E, quando tudo for dito e feito, ambos se sentirão mais satisfeitos.

"Que nada seja feito por contenda ou por vanglória, mas com humildade na mente; cada um considere os outros melhores do que a si mesmo" (Fp 2:3)

DESAFIO DE HOJE

AQUILO EM QUE VOCÊ COLOCAR SEU TEMPO, ENERGIA E DINHEIRO, SERÁ MAIS IMPORTANTE PARA VOCÊ. É DIFÍCIL SE IMPORTAR COM ALGO EM QUE VOCÊ NÃO ESTÁ INVESTINDO. ALÉM DE EVITAR COMENTÁRIOS NEGATIVOS, COMPRE PARA O SEU CÔNJUGE ALGUMA COISA QUE DIGA: "EU ESTAVA PENSANDO EM VOCÊ HOJE".

- Anote, aqui, quando o desafio de hoje estiver completo.

O que você escolheu dar ao seu cônjuge? O que aconteceu quando você entregou o presente?

Porque onde há inveja e contenda, aí há confusão e toda a obra do mal. (Tg 3:16)

"Pela primeira vez na vida, estou fazendo o correto. Na verdade, estou aprendendo a amar minha esposa e descobrindo quanto a amo". — Joel

4º DIA

O Amor é atencioso

Quão preciosos também são os teus pensamentos para comigo, ó Deus! Quão grande é a soma deles! Se eu fosse contá-los, eles seriam maiores em número do que a areia; quando acordo ainda estou contigo.
(Salmos 139:17-18)

O amor pensa. Ele não é um sentimento tolo que passeia pelas ondas da emoção e então cai no sono mental. Ele se mantém ocupado em pensamentos, sabendo que os pensamentos amorosos precedem as atitudes amorosas.

Quando você se apaixonou, o pensamento veio quase que naturalmente. Você passou horas imaginando como seria a pessoa amada, imaginando o que ela estaria fazendo, ensaiando coisas marcantes para dizer e, depois, curtindo doces memórias do tempo que passaram juntos. Você disse sinceramente: "Eu não consigo parar de pensar em você."

Mas, para a maioria dos casais as coisas começam a mudar logo depois do casamento. A esposa finalmente tem seu marido; o marido já tem seu troféu. A caça está terminada e a perseguição encerrada. Fagulhas de romance, vagarosamente, tornam-se em cinzas e a motivação para o pensamento esfria. Você se deixa focar em seu trabalho, seus amigos, seus problemas, seus desejos pessoais, em você. Depois de algum tempo, você, involuntariamente, começa a ignorar as necessidades do seu cônjuge.

Mas o fato de que o casamento acrescentou outra pessoa em seu universo não mudou. Então, se o seu pensamento não amadureceu o bastante para, constantemente, incluir esta pessoa, você se pega sendo surpreendido ao invés de reflexivo.

"Hoje é nosso aniversário?"

"Por que tenho de pedir sua opinião nesta decisão?"

"Não entendo porque você se aborrece".

Se você não aprender a ser reflexivo, acabará se arrependendo por ter perdido oportunidades de demonstrar amor. A falta de atenção é um inimigo silencioso para um relacionamento amoroso.

Sejamos honestos. Os homens lutam mais contra a falta de atenção do que as mulheres. O homem tem a capacidade de focar em apenas uma coisa, como um lazer, e esquecer do resto do mundo. Enquanto isto pode beneficiá-lo naquela área específica, pode também fazê-lo ignorar outras coisas que precisam de sua atenção.

A mulher, por outro lado, é mais multiconsciente, capaz de manter-se incrivelmente atenta a vários fatos ao mesmo tempo. Ela tem a capacidade de falar ao telefone, cozinhar, saber em que cômodo da casa as crianças estão e se perguntar por que seu marido não a está ajudando... tudo simultaneamente. Além disso, a mulher também pensa no coletivo. Quando ela se envolve em algum trabalho específico, fica a par de todas as pessoas que de alguma forma estão ligadas a ele.

Essas duas tendências são exemplos de como Deus projetou as mulheres para completarem os seus maridos. Como Deus disse na criação: "Não é bom que o homem esteja sozinho; eu farei uma ajudadora adequada para ele" (Gn 2:18). Porém, essas diferenças também criam oportunidades para o desentendimento.

Homens, por exemplo, tendem a pensar de forma objetiva e a dizer, exatamente, o que querem dizer. Não é preciso mais nada para compreender a mensagem. Suas palavras são mais literais e não devem ser analisadas além do que foi dito. Mas, as mulheres falam e pensam nas entrelinhas. Elas têm a tendência de fazer insinuações. Um homem precisa ouvir, também, o que está implícito se quiser obter o significado completo do que uma mulher diz.

Se um casal não tem essa compreensão um do outro, isso pode resultar em desentendimentos sem fim. Ele fica frustrado tentando entender por que ela fala em enigmas ao invés de falar de uma vez o que quer. Ela fica frustrada tentando entender por que ele é tão desatento e não soma dois mais dois para compreender o que ela diz.

Uma mulher deseja, profundamente, que seu marido seja atencioso e reflexivo. Essa é uma das chaves que a ajuda a se sentir amada. Quando ela fala, o homem sábio ouve como um detetive para descobrir as necessidades e desejos implícitos em suas palavras. Contudo, se ela sempre tem de juntar as peças, ele perde a oportunidade de demonstrar que a ama.

Isso também explica por que as mulheres ficam chateadas com seus maridos sem dizer a eles o porquê. Ela pensa: "Eu não deveria ter de explicar isso para ele. Ele precisa ser capaz de olhar a situação e entender o que está acontecendo aqui". Ao mesmo tempo, ele se sente mal porque não pode ler a mente dela e deseja saber por que está sendo punido por um crime que não sabia que havia cometido.

O amor requer atenção – dos dois lados – o tipo de atenção que constrói pontes através da combinação de paciência, bondade e generosidade. O amor ensina a acertar o alvo, a respeitar e a apreciar a maneira única de pensar do seu cônjuge.

O marido deve ouvir a sua esposa e aprender a considerar as mensagens não ditas. A esposa deve aprender a se comunicar com atenção e não dizer uma coisa significando outra.

Porém, com frequência você fica irado e se frustra, seguindo o padrão destrutivo "Preparar, apontar, fogo!" Você fala de forma dura e só depois pensa se deveria ter dito o que disse. Mas a natureza atenciosa do amor o ensina a usar a mente antes de usar os lábios. O amor pensa antes de falar. Ele filtra as palavras com a peneira da verdade e da bondade.

Quando foi a última vez que você gastou alguns minutos pensando em como poderia demonstrar amor ao seu cônjuge e entendê-lo melhor? Qual a necessidade imediata que você pode suprir? Para qual próximo evento (aniversário, data comemorativa, feriado) você já pode se preparar? Grandes casamentos vêm de grandes reflexões.

DESAFIO DE HOJE

FAÇA CONTATO COM O SEU CÔNJUGE, EM ALGUM MOMENTO, DURANTE A AGITAÇÃO DO DIA. SEM QUALQUER OUTRA INTENÇÃO, PERGUNTE COMO ELE ESTÁ E SE TEM ALGO QUE VOCÊ PODE FAZER POR ELE.

– Anote, aqui, quando o desafio de hoje estiver completo.

O que você aprendeu sobre si mesmo e sobre o seu cônjuge ao aceitar o desafio de hoje? Como isso poderia se tornar mais natural, rotineiro e parte, verdadeiramente, útil do seu estilo de vida?

Agradeço ao meu Deus todas as vezes que me lembro de vós. (Fp 1:3)

"Agora, a única coisa que penso é como fazê-la sentir meu amor por ela". — Sebastian

5º DIA

O Amor não maltrata

Aquele que abençoa o seu amigo em voz alta, levantando cedo de manhã, isso lhe será computado como maldição. (Provérbios 27:14)

Nada irrita o outro tão rápido quanto a grosseria. Arrogância é dizer coisas desnecessárias ou fazer coisas desagradáveis para a pessoa ao nosso lado. Ser rude é ser inconveniente, constrangedor ou irritante. No casamento, isso poderia ser o falar grosseiro, certos comportamentos à mesa, ou o hábito de ser sarcástico. Apesar de convivermos com isso, ninguém gosta de estar com uma pessoa rude. Comportamentos rudes podem parecer insignificantes para a pessoa que é grosseira, mas é desagradável para aqueles que recebem a grosseria.

Como sempre, o amor tem algo a dizer sobre isso. Quando um homem é guiado pelo amor, ele se comporta, intencionalmente, de forma a fazer sua esposa se sentir confortável onde estiver. Se ela deseja amá-lo, irá, propositadamente, evitar coisas que o frustram ou causam desconforto para ele.

Em poucas palavras: *o amor genuíno é cuidadoso em seus modos.*

Adotar tal conceito pode trazer refrigério ao seu casamento. Boas maneiras expressam para sua esposa ou para o seu marido: "Eu o valorizo o suficiente para exercitar autocontrole perto de você. Eu quero ser uma companhia agradável". Quando permitimos que o amor mude o nosso comportamento – mesmo que nos menores aspectos – restauramos uma atmosfera de honra em nosso relacionamento. As pessoas que praticam boa etiqueta tendem a aumentar o nível de respeito no ambiente onde se encontram.

Para a maioria, a etiqueta usada em casa é muito diferente da usada com amigos, e até mesmo com os estranhos. Podemos estar aos berros ou mal-humorados, mas se a campainha tocar, abrimos a porta sorrindo e com muita gentileza. Mas, se nos desafiamos a amar, também iremos querer dar o melhor de nós. Se não deixarmos o amor nos motivar a fazer as mudanças necessárias em nosso comportamento, a qualidade do nosso casamento será atingida por conta disso. Quanto mais respeitoso e honrável for seu comportamento, mais seu cônjuge o verá atrativo e interessante no âmbito amoroso.

As mulheres tendem a ser muito melhores em certos tipos de comportamento do que os homens, apesar de serem rudes de outras formas. O rei Salomão disse: "É melhor habitar no canto de um eirado, do que com uma mulher briguenta em uma casa ampla" (Pv 25:24). Mas, principalmente, os homens, precisam aprender essa importante lição. A Bíblia diz: "Um bom homem mostra favor e empresta; ele guiará seus negócios com discrição" (Sl 112:5). Um homem prudente sabe discernir o que é apropriado e, consequentemente, ajustar seu comportamento de acordo com a situação.

Há duas razões principais pelas quais as pessoas são rudes: ignorância e egoísmo. Com certeza, nenhuma das duas é boa. Uma criança nasce ignorante no que se refere à etiqueta, precisando de muita ajuda e treinamento. Os adultos, contudo, demonstram sua ignorância em um outro nível. Sabemos as regras, mas podemos nos fazer de cegos sobre como as quebramos ou ser egocêntricos demais para nos importar. De fato, não percebemos o quão desagradáveis podemos ser.

Ponha-se à prova com essas perguntas:

- Como o seu cônjuge se sente com o seu jeito de agir e falar com ele?
- Como o seu comportamento afeta o senso de autoestima e de importância do seu cônjuge?
- Seu marido ou sua esposa diria que você é uma bênção, ou que você o faz sentir-se inferior e envergonhado?

Se você está pensando que o seu cônjuge – não você – é quem precisa mudar nesta área, você está, provavelmente, sofrendo de um caso grave de ignorância sem diagnóstico, com efeitos secundários de egoísmo. Lembre-se, o amor não maltrata, mas leva você a um padrão mais elevado.

Você deseja que seu cônjuge pare de fazer coisas que o aborrecem? Então, é hora de parar de fazer coisas que o chateiam. Você será reflexivo e amoroso o suficiente para descobrir e evitar o comportamento que torna a vida desagradável para seu(sua) companheiro(a)? Você aceitará o desafio de ser agradável?

Aqui estão três princípios norteadores para que você pratique a etiqueta em seu casamento:

1. *Guarde a Regra de Ouro.* Trate seu cônjuge da mesma maneira que você deseja ser tratado (veja Lc 6:31).
2. *Nada de Padrões Diferentes.* Seja tão atencioso com o seu cônjuge quanto você é com estranhos, amigos ou com colegas de trabalho.
3. *Atenda às Solicitações.* Considere o que o seu marido ou esposa lhe pediu para fazer ou não fazer. Se estiver em dúvida, então pergunte.

DESAFIO DE HOJE

PEÇA AO SEU CÔNJUGE PARA LHE DIZER TRÊS COISAS SOBRE VOCÊ QUE O DEIXAM DESCONFORTÁVEL E IRRITADO. FAÇA ISSO SEM ATACÁ-LO E SEM JUSTIFICAR SEU COMPORTAMENTO. PREOCUPE-SE APENAS COM A PERSPECTIVA DELE.

- Anote, aqui, quando o desafio de hoje estiver completo.

Quais foram as três coisas que o seu cônjuge disse sobre você que precisam da sua atenção? Como você reagiu ao ouvi-las? O que você pretende fazer para melhorar essas áreas?

As palavras da boca do homem sábio são graciosas. (Ec 10:12)

"Faz cinco dias que comecei O desafio de amar, porém já vejo uma mudança importante em mim, e gosto do novo eu". — Cristian

6º DIA

O Amor não se irrita facilmente

Aquele que é tardio em se irar é melhor do que o poderoso, e o que domina o seu espírito do que aquele que toma uma cidade. (Provérbios 16:32).

O amor é tardio em ofender e pronto a perdoar. Você se irrita e se ofende facilmente? Muitos possuem o seu próprio lema: "Nunca perca uma oportunidade de ficar chateado com o seu cônjuge". Quando alguma coisa dá errado, elas, rapidamente, conseguem um jeito de se beneficiarem, expressando o quanto estão frustradas ou machucadas. Mas essa reação é oposta ao amor.

Irritar-se facilmente significa "estar próximo à ponta de uma faca". Pronto a se ferir. As pessoas que se irritam, facilmente, são fechadas, oprimidas e prontas para reagir de forma exagerada.

Quando sob pressão, o amor não se irrita. Problemas pequenos não criam grandes contra-ataques. A verdade é, o amor não se ira nem se sente ferido a menos que exista uma razão legítima e justa aos olhos de Deus. Um marido amoroso permanece calmo e paciente, mostrando misericórdia e contendo seu temperamento. Raiva e violência estão fora de cogitação. A esposa amorosa não é, extremamente, sensível nem mal-humorada, mas exerce o autocontrole emocional. Ela prefere ser uma flor entre os espinhos e responde, amigavelmente, a situações difíceis.

Se você está caminhando sob a influência do amor, será uma fonte de gozo, não de dor. Pergunte a si mesmo, "Sou uma brisa suave ou uma tempestade pronta para cair?"

Por que as pessoas se irritam facilmente? Existem, pelo menos, duas razões principais que contribuem para isso: *Estresse*. O estresse nos sobrecarrega, suga nossa energia, enfraquece nossa saúde, e nos deixa mal-humorados.

Ele pode ser causado por problemas de relacionamento: discussões, divisões e amargura. Existem as questões de *excesso*: trabalhar muito, jogar muito e gastar excessivamente. E existem as *deficiências:* não descansar, não se alimentar e não se exercitar o suficiente. Muitas vezes, nos submetemos a esses males, e isso nos torna irritáveis.

A vida é uma maratona, não uma corrida de 100 metros rasos. Isso significa que você deve balancear, priorizar e medir seus passos. Com frequência jogamos a cautela ao vento e corremos disparados, fazendo o que parece correto no momento. Em pouco tempo ficamos sem ar, tensos e prestes a explodir. A crescente pressão pode acabar com a nossa paciência e, consequentemente, com o nosso relacionamento.

A Bíblia pode nos ajudar a evitar o estresse que é prejudicial à saúde. Ela nos ensina a deixar o amor guiar nosso relacionamento e a não cair em discussões desnecessárias (Cl 3:12-14); a orar pelas nossas ansiedades ao invés de lidar com elas por nós mesmos (Fp 4:6-7); a delegar tarefas quando estivermos sobrecarregados (Êx 18:17-23); a evitar prazeres excessivos (Pv 25:16).

A Bíblia também nos exorta a guardar um dia da semana para adorar e descansar. Estrategicamente, isso nos permite recarregar a bateria, ajustar o foco e acrescentar um tempo para respirar em nossa agenda semanal. Estabelecer esse tipo de espaço extra faz com que os impactos das pressões ao nosso redor sejam amortecidos, reduzindo o estresse que nos mantém no limite com nosso cônjuge. Sem dúvida, há uma segunda razão, mais profunda, pela qual podemos nos tornar irritáveis:

Egoísmo. Quando nos irritamos facilmente, o principal problema está dentro do coração. Jesus disse, "Como podeis vós dizer boas coisas, sendo maus? Pois do que há em abundância no coração, disso fala a boca" (Mt 12:34). Algumas pessoas são como limão: quando a vida as espreme, elas liberam uma resposta azeda. Alguns são mais parecidos com o pêssego: quando pressionados, a resposta ainda é doce.

Irar-se, facilmente, é um indicador de que uma área escondida de egoísmo e insegurança está presente onde o amor deveria reinar. Mas o egoísmo também veste muitas outras máscaras:

A *luxúria*, por exemplo, é o resultado de ser ingrato pelo que você tem e escolher cobiçar ou se apaixonar por algo que é proibido ou arder de paixão para consegui-lo. Quando o coração é ambicioso, ele se irrita e se frustra facilmente (Tg 4:1-3). A *amargura* cria raiz quando respondemos de maneira crítica e nos recusamos a tratar nossa raiva. A raiva não resolvida de uma pessoa amargurada vem à tona quando é provocada (Ef 4:31). A *ambição* por mais dinheiro e posse nos frustrará com desejos insatisfeitos (1Tm 6:9-10). Essas fortes paixões, unidas com a insatisfação, nos levam a ofender qualquer um que esteja em nosso caminho. O *orgulho* nos leva a agir de forma áspera para protegermos nosso ego e reputação. O temor da vergonha nos leva a reagir de forma exagerada.

Essas motivações nunca serão satisfeitas. Mas quando o amor entra em nosso coração, ele nos acalma e nos inspira a tirar o foco de nós mesmos, e a nos despojarmos das coisas desnecessárias.

O amor nos levará a perdoar ao invés de guardar rancor. A sermos gratos em lugar de mesquinhos. A sermos satisfeitos ao invés de prontos a fazer dívidas. O amor nos encoraja a ficarmos felizes quando o outro é bem-sucedido, em lugar de perder o sono de tanta inveja. O amor diz, "compartilhe a herança" ao invés de "dispute com seus parentes". O amor nos lembra de priorizar a família em lugar de sacrificá-la por uma promoção no trabalho. No final das contas, o amor diminui o estresse e ajuda a acabar com o veneno que pode acumular-se no íntimo. Assim, ele prepara o nosso coração para responder ao nosso cônjuge com paciência e encorajamento, ao invés de responder com raiva e irritação.

DESAFIO DE HOJE

DIANTE DAS DIFÍCEIS CIRCUNSTÂNCIAS EM SEU CASAMENTO, DECIDA REAGIR COM AMOR EM VEZ DE IRRITAÇÃO. EM PRIMEIRO LUGAR, RELACIONE NAS LINHAS ABAIXO UMA LISTA DAS ÁREAS EM QUE VOCÊ PRECISA SEPARAR UM TEMPO PARA REPENSAR. ENUMERE TODAS AS MOTIVAÇÕES NEGATIVAS E ELIMINE-AS DE SUA VIDA.

- Anote, aqui, quando o desafio de hoje estiver completo.

Em que áreas da sua vida você precisa estabelecer limites? Quando foi a última vez que reagiu de forma exagerada? Qual foi a motivação real por trás disso? Considere que coisas "boas" você pode deixar de lado para obter liberdade de priorizar outras "melhores". Quais foram as decisões que você tomou hoje?

Nisto também me esforço de sempre ter uma consciência sem ofensa para com Deus e para com os homens. (At 24:16)

"Esse livro me ajuda, dia a dia, a ser paciente e amável, e a dirigir meu coração ao amor". — Jazmín

7º DIA

O Amor acredita no melhor

[A caridade] crê em todas as coisas, espera em todas as coisas...
(1 Coríntios 13:7)

Nos corredores profundos e secretos do nosso coração, existe uma sala. Ela é chamada de Sala do Reconhecimento. É para essa sala que vão os seus pensamentos quando você descobre coisas positivas e encorajadoras a respeito do seu cônjuge. E, de vez em quando, você gosta de visitar esse lugar especial.

Nas paredes estão escritas palavras e frases amáveis que descrevem bons atributos do seu esposo ou da sua esposa. Elas incluem características como "sinceridade" e "inteligência", ou frases como "trabalhador cuidadoso", "comida maravilhosa" ou "olhos bonitos". São coisas que você descobriu sobre seu marido ou sobre sua esposa que ficaram gravadas em sua memória. Quando você pensa nessas coisas, a admiração que você tem pelo seu cônjuge começa a aumentar. De fato, quanto mais tempo você passa meditando nesses atributos positivos, mais grato você é pelo seu marido ou esposa.

Provavelmente, a maioria das coisas da Sala do Reconhecimento foram escritas nas fases iniciais do seu relacionamento. Você as resumiria nos aspectos que gostava e respeitava em seu cônjuge. Elas eram verdadeiras, honrosas e boas. E você passou um bom tempo habitando com elas nesta sala... antes de se casar. Mas, você deve ter notado que não visita essa sala especial com tanta frequência como fazia no passado. Isso acontece porque existe uma outra sala competindo com esta.

No final de outro corredor escuro de seu coração, encontra-se a Sala da Depreciação e, infelizmente, também a visita. Nas paredes desse cômodo está escrito aquilo que seu cônjuge faz que o deixa chateado e irritado.

Essas palavras foram lá escritas como resultado de frustrações, sentimentos feridos e expectativas não correspondidas.

A sala tem ligação com as fraquezas e falhas do seu marido ou esposa. Seus péssimos hábitos, palavras grosseiras e decisões erradas estão escritas em letras grandes que cobrem as paredes de um lado a outro. Se você permanecer por muito tempo no referido cômodo, certamente, ficará depressivo e pensará coisas do tipo, "Minha esposa é muito egoísta," ou "Meu marido é um imbecil". Ou talvez, "Acho que casei com a pessoa errada".

Algumas pessoas escrevem coisas detestáveis nessa sala, onde censuras são ensaiadas para serem usadas como argumento na próxima briga. Ferimentos emocionais se inflamam aqui, fazendo crescer as observações negativas nas paredes. É aqui que as munições são preparadas para a próxima luta e a amargura é espalhada como doença. As pessoas perdem o amor neste lugar.

Mas saiba de uma coisa: gastar tempo na Sala da Depreciação destrói casamentos. Os divórcios nascem nessa sala e os planos malignos são esquematizados lá. Quanto mais tempo você gastar neste lugar, mais o seu coração desvalorizará o seu cônjuge. Este processo tem início no momento em que você passa pela porta desta sala, já que todas as vezes que uma marca é deixada lá, a importância dada ao seu cônjuge diminui.

Você pode dizer, "Mas o que escrevo lá é verdade!" Sim, mas o que está escrito na Sala do Reconhecimento também é verdade. Todos falham e possuem áreas em que precisam de crescimento. Todos têm questões não resolvidas, feridas e cargas pessoais. Esse é um aspecto triste do ser humano. Todos nós pecamos. Mas temos essa tendência infeliz de subestimar nossos atributos negativos enquanto colocamos os do nosso próximo sob uma lente de aumento.

Vamos analisar a verdadeira questão aqui. O amor conhece a Sala da Depreciação e não vive negando sua existência.

Mas o amor escolhe não viver nela.

Você precisa tomar a atitude de não correr mais para essa sala e de não permanecer por lá após cada acontecimento frustrante no seu relacionamento. Isso não lhe faz nenhum bem, e rouba de você a alegria do casamento.

O amor escolhe acreditar no melhor das pessoas. Ele lhes dá o benefício da inocência. Ele se recusa a preencher o desconhecido com suposições negativas. E quando nossas piores expectativas se tornam verdade, o amor faz todo o esforço para lidar com elas e ir em frente. O amor foca no positivo, enquanto for possível.

É hora de começar a pensar de maneira diferente. É hora de deixar o amor guiar os seus pensamentos e o seu foco. O único motivo que você tem para dar uma olhada na Sala da Depreciação é o de saber como orar pelo seu cônjuge. E a única razão que você tem para entrar nesta sala, é escrever "COBERTO EM AMOR" com letras garrafais em todas as paredes.

É hora de mudar-se para a Sala do Reconhecimento, acomodar-se e fazer dela o seu lar. Ao escolher meditar nos aspectos positivos, você descobrirá que muitas outras qualidades maravilhosas poderão ser escritas nestas paredes. O seu cônjuge é um livro vivo e infinito a ser lido. Ainda existem sonhos e desejos para serem realizados. Talentos e habilidades para serem descobertos, como tesouros escondidos. Mas a escolha de explorá-los começa com uma decisão sua.

É preciso desenvolver o hábito de frear seus pensamentos negativos e focar nos atributos positivos do seu cônjuge. Essa é uma etapa crucial pela qual terá de passar para aprender a conduzir seu coração ao verdadeiro amor. Essa é uma decisão sua, mereça ele ou não.

DESAFIO DE HOJE

PARA O DESAFIO DE HOJE, PEGUE DUAS FOLHAS DE PAPEL. NA PRIMEIRA, PASSE ALGUNS MINUTOS ESCREVENDO COISAS POSITIVAS A RESPEITO DO SEU CÔNJUGE. DEPOIS, NA SEGUNDA FOLHA, FAÇA O MESMO COM AS COISAS NEGATIVAS. COLOQUE AS DUAS FOLHAS EM UM LUGAR SECRETO PARA O PRÓXIMO DIA. EXISTE UM PROPÓSITO E UM PLANO DIFERENTE PARA CADA UMA DESSAS LISTAS. EM ALGUM MOMENTO, DURANTE O RESTO DO DIA, ESCOLHA UM ATRIBUTO POSITIVO E AGRADEÇA AO SEU CÔNJUGE POR TER ESSA CARACTERÍSTICA.

- Anote, aqui, quando o desafio de hoje estiver completo.

Qual lista foi a mais fácil de fazer? O que essa atitude revelou sobre os seus pensamentos? Por qual atributo você agradeceu ao seu cônjuge?

____

____

____

____

____

____

Se há alguma virtude, e se há algum louvor, nisso pensai. (Fp 4:8)

"Desperdicei tantos anos analisando seus erros sob a lupa, que perdi o maravilhoso jardim que florescia ao meu redor". — Micaela

8º DIA

O Amor não é ciumento

Põe-me como selo sobre o teu coração, como um selo sobre o teu braço, porque o amor é forte como a morte, o ciúme é cruel como a sepultura; as suas brasas são brasas de fogo, com a mais veemente labareda. (Cantares de Salomão 8:6)

O ciúme é um dos impulsos mais fortes do ser humano. A raiz de ciúme é "zelo" do latim *zélus* e significa "Queimar com um fogo intenso". As Escrituras, claramente, dizem, "A ira é cruel, e a raiva é ultrajante, mas quem é capaz de permanecer diante da inveja?" (Pv 27:4).

Na verdade, existem duas formas de ciúme: o ciúme *legítimo*, baseado no amor, e o *ilegítimo*, baseado na inveja. O ciúme legítimo aparece quando alguém que você ama, que pertence a você, desvia o coração e o substitui por outra pessoa. Se a mulher tem um caso amoroso e se entrega a outra pessoa, seu esposo tem um ciúme justificado por causa do amor que ele tem por ela. Ele está ansioso para ter de volta o que é seu por direito.

A Bíblia descreve Deus como tendo esse tipo de ciúme justo pelo Seu povo. Isso não quer dizer que Ele tem *inveja* de nós, desejando ter o que temos (mesmo porque Ele já possui tudo). Quer dizer que Ele sente saudade de nós, *desejando* que Ele seja nosso primeiro amor. Ele não quer que outras coisas venham antes dEle em nosso coração. A Bíblia nos adverte a adorar, somente, a Deus, porque "o SENHOR teu Deus é um fogo consumidor, e um Deus ciumento" (Dt 4:24).

Com isso em mente, tiramos o nosso foco do tipo de ciúme ilegítimo, o que se opõe ao amor – aquele que tem origem no egoísmo; ter ciúme de alguém é o mesmo que ser "movido com inveja."

Você luta contra o ciúme? Sua amiga é mais popular e você sente ódio dela por isso. Seu colega de trabalho ganha uma promoção e você não consegue dormir à noite. Ele deve ter feito tudo errado, mas você se tornou amargurado por causa do seu sucesso. Dizem que as pessoas ficam felizes com nosso sucesso, desde que não seja maior do que o delas.

O ciúme é uma luta comum. Ele é ativado quando alguém "passa a sua frente" e consegue atingir o nível que você deseja para si. Isso pode ser muito doloroso dependendo do seu nível de egoísmo. Em lugar de parabenizá-lo, você se enche de raiva e pensa maldades a respeito dele. Se não tomarmos cuidado, o ciúme rastejará como uma cobra em nosso coração e acabará com as nossas motivações e com os nossos relacionamentos. Ele pode envenenar nos distanciando da vida que o Senhor deseja para nós.

Se não acabarmos com a nossa raiva aprendendo a amar os outros, provavelmente conspiraremos contra eles. A Bíblia diz que a inveja nos leva a confusão, a briga e a toda espécie de males (Tg 3:16, 4:1-2).

Existe uma sequência de ciúmes ilegítimos nas Escrituras. Ele causou o primeiro assassinato quando a oferta de Caim a Deus foi desmerecida em relação a de seu irmão caçula. Sara mandou sua criada embora porque Hagar podia gerar filhos, enquanto ela não. Os irmãos de José viram que ele era o preferido de seu pai, então o jogaram em um poço e o venderam como escravo. Jesus foi mais amoroso, poderoso e popular que o principal dos sacerdotes, então eles tramaram Sua traição e crucificação.

Na maioria das vezes, não temos inveja de estranhos. Aqueles de quem sentimos ciúmes estão, primeiramente, na mesma esfera que nós. Eles trabalham em nosso escritório, jogam em nosso time, estão em nosso círculo de amizade... ou moram em nossa casa. Sim, se não vigiarmos, a inveja pode, também, contagiar nosso casamento.

Quando você se casou, assumiu o papel de maior torcedor e de capitão do fã clube do seu cônjuge. Vocês se tornaram *um* e compartilharam da alegria um do outro. Mas, se o egoísmo entrar, qualquer coisa boa que aconteça com apenas um de vocês pode ser um estimulante para a inveja ao invés da parabenização.

Ele pode jogar golf no final de semana, enquanto ela está limpando a casa. Ele se sente o máximo por conseguir um bom placar, e ela sente vontade de atirar nele.

Ou, talvez, ela seja, constantemente, convidada para sair com as amigas enquanto ele fica em casa com o cachorro. Se não vigiar, ele pode se ofender com a popularidade dela.

Em virtude de o amor não ser ciumento e sim colocar os outros à sua frente, ele se recusa a permitir que o ciúme entre. O amor o conduz a celebrar o sucesso do seu cônjuge ao invés de se ressentir dele. Um esposo amoroso não se importa se a sua esposa for melhor em algumas coisas, se divertir mais, ou ganhar mais aplausos. Ele a vê como um complemento dele, não como uma concorrente.

Quando ele recebe louvor, ele a agradece, publicamente, pelo suporte em ajudá-lo em seu sucesso. Ele se recusa a vangloriar-se de forma que ela se sinta ressentida.

Uma esposa amorosa será a primeira a se alegrar pelo marido quando ele vencer. Ela não compara suas fraquezas com as forças dele. Em lugar de se lamentar, ela dá uma festa de celebração.

É hora de deixar o amor, a humildade e a gratidão destruir todo o ciúme que nasce em seu coração. É hora de deixar o sucesso do seu cônjuge unir vocês e lhe proporcionar grandes oportunidades de mostrar amor genuíno.

DESAFIO DE HOJE

DECIDA SER O MAIOR ADMIRADOR DO SEU CÔNJUGE, E DECIDA REJEITAR QUALQUER PENSAMENTO INVEJOSO. PARA AJUDÁ-LO A MANTER O CORAÇÃO EM SEU CÔNJUGE E A FOCAR NAS CONQUISTAS DELE, PEGUE A LISTA DE ATRIBUTOS NEGATIVOS QUE VOCÊ FEZ ONTEM E, DISCRETAMENTE, QUEIME-A. DEPOIS, COMPARTILHE COM SEU CÔNJUGE O QUANTO VOCÊ ESTÁ FELIZ COM O SUCESSO QUE ELE CONQUISTOU RECENTEMENTE.

- Anote, aqui, quando o desafio de hoje estiver completo.

Foi difícil queimar a lista? Quais são os aspectos positivos na vida do seu cônjuge que deixam você feliz? Como você pode encorajá-lo a obter sucessos futuros?

___

___

___

___

___

___

___

___

Regozijai-vos com os que se regozijam, e chorai com os que choram. (Rm 12:15)

"Não tinha ideia de que descobriria tanta coisa sobre mim mesma neste processo". — Catalina

9º DIA

O Amor causa uma boa impressão

Saudai-vos uns aos outros com um beijo de caridade.(1 Pedro 5:14)

Os reis fazem reverências; soldados, uma saudação militar. Conhecidos agitam a mão; amigos, a apertam. Familiares abraçam-se; os que se amam beijam-se. As saudações nos proporcionam maneiras dinâmicas de nos encontrarmos com o outro e demonstrar afeto e respeito adequados. Cada saudação depende da natureza e proximidade de cada relacionamento.

A maneira como um casal cumprimenta um ao outro, pode dizer muito a respeito de como anda o relacionamento conjugal. Isso pode ser notado em suas expressões e feições, assim como na maneira pela qual eles falam um com o outro. Fica ainda mais óbvio pelo seu contato físico. Mas qual a importância que devemos dar a um cumprimento?

Uma saudação pode ser a prova de fogo para a saúde do relacionamento. Pense: O que você e seu cônjuge revelam sobre seu relacionamento na maneira como se saúdam? Se tratam com carinho ou com indiferença? Seu modo de cumprimentar faz com que seu cônjuge aguarde ansioso o momento de encontrá-lo?

Contudo, não devemos agir assim apenas com os nossos amigos. Jesus apontou no Sermão da Montanha que até os pagãos falam, gentilmente, com as pessoas que gostam. Isso é fácil para qualquer um. Mas, Ele dá um passo além e diz que ser temente a Deus inclui ser humilde e gracioso o suficiente para tratar com bondade até os inimigos.

Ao longo da história, o povo judeu demonstrou compreender o poder de uma saudação eficaz. Utilizada mais de 200 vezes na

Bíblia, a palavra shalom (que significa "paz" ou "tranquilidade") era usada de forma intencional para saudação comum. Era usada para expressar: "A Paz seja contigo, a paz seja com a tua casa, e a paz seja com tudo o que tens" (1Sm 25:6). Todavia, tal palavra utilizada, hoje, revela como uma saudação diária pode transformar-se em bênção dinâmica.

Não é necessário dizer "shalom" quando saudar seu cônjuge, porém compartilhar com ele uma saudação consistente de cinco segundos a cada dia, pode transformar-se em bênção a longo prazo na relação. Sua saudação deveria expressar: "Você é de um valor incalculável para mim", em lugar de "tolero você".

Quando alguém diz que está feliz em nos ver, a nossa autoestima aumenta. Nos sentimos mais importantes e valorizados, pois um bom cumprimento prepara o caminho para uma interação positiva e saudável. Assim como o amor, ele traz o vento à nossa navegação.

Isso sugere uma pergunta: Como você saúda seus amigos, e seus companheiros de trabalho e seus vizinhos? E seus conhecidos e aos que encontra em público? Talvez você encontre alguém que não o agrade muito, mas o saúda por cortesia.

Então, se você é tão agradável e educado com os outros, acaso seu cônjuge não merece o mesmo? Dez vezes mais?

Pode ser tão simples como expressar carinho logo ao acordar, na expressão de seu rosto quando entra no carro, no tom de sua voz quando fala ao telefone. Considere como seria agradável o dia de seu cônjuge se você expressar com toda sinceridade o quanto está feliz em vê-lo.

Uma boa saudação prepara o terreno para uma interação positiva e saudável. Igualmente, o amor o faz se sentir valorizado e o impulsiona a seguir adiante.

Pense, novamente, na história que Jesus contou do filho pródigo. Esse jovem rebelde exigiu, em dinheiro, a sua herança e depois gastou tudo com um estilo de vida imprudente. Mas, logo, as consequências de suas más escolhas apareceram, e ele se viu comendo restos em um chiqueiro. Humilhado e envergonhado, ele treinou suas desculpas e pensou na melhor maneira de voltar para casa e encarar seu pai. Porém, o cumprimento que ele estava esperando não foi exatamente o que recebeu. "Mas, ele estando ainda longe do caminho, seu pai o viu, e teve compaixão, e, correndo, lançou-se-lhe ao pescoço, e o beijou" (Lc 15:20).

Provavelmente, essa saudação tenha sido a última coisa que o jovem pudesse esperar. Mas, como você acha que ele se sentiu ao receber o abraço de seu pai e ouvir seu tom comovido? Reerguido. Amado profundamente. Valorizado mais uma vez. Como você acha que ficou a relação entre eles?

Que tipo de saudação faria seu cônjuge se sentir assim? Como poderia despertar cada um de seus sentidos com uma simples palavra amável, um toque mais afetuoso ou um tom de voz mais suave? Uma saudação amorosa é algo que pode alegrar seu cônjuge todos os dias por meio do que vê, ouve e sente. Não tem preço e não custa nada.

Pense nas oportunidades que têm de saudarem-se ocasionalmente. Quando você chega em casa. Quando se encontrarem para almoçar. Quando se dão boa noite. Quando falam ao telefone ou trocam mensagens de texto. Não é necessário que seja sempre algo audacioso e espetacular, mas, acrescentar calor e entusiasmo ao trato brinda a oportunidade de tocar o coração de seu cônjuge de maneiras inesperadas.

Centenas de viúvos e viúvas poderiam nos dizer com lágrimas nos olhos o que significaria para eles ter uma última oportunidade de cumprimentar, beijar e abraçar seus cônjuges. Como não temos garantia do amanhã, cada dia com nosso esposo ou esposa é um privilégio de Deus para entesourar e desfrutar.

Pense em sua forma de saudar. Você o faz bem? Seu cônjuge se sente valorizado e apreciado? Se sente amado? Mesmo que algo não vá bem, você pode diminuir a tensão e ajudar a restaurar a situação, se realizar uma saudação. Lembre-se de que o amor é uma decisão. Então decida começar a amar desde o "olá!".

DESAFIO DE HOJE

PENSE EM UMA MANEIRA ESPECIAL DE CUMPRIMENTAR O SEU CÔNJUGE HOJE. FAÇA ISSO COM UM SORRISO E COM ENTUSIASMO. ENTÃO, DECIDA MUDAR A MANEIRA COMO O CUMPRIMENTA, DIARIAMENTE, DE MODO QUE REFLITA O SEU AMOR POR ELE.

- Anote, aqui, quando o desafio de hoje estiver completo.

Quando e onde você escolheu fazer a saudação especial? Como você vai mudar o modo como cumprimenta seu cônjuge a partir de hoje?

___

___

___

___

___

___

___

___

___

___

Porque temos grande alegria e consolação no teu amor. (Fm 1:7)

"Minha intenção é chegar até o final, e mudar por ela e por nosso casamento". – Esteban

10º DIA

O Amor é incondicional

Mas Deus demonstra o seu amor para conosco, em que sendo nós ainda pecadores, Cristo morreu por nós. (Romanos 5:8)

Se alguém perguntasse, "Por que você ama sua esposa?" ou "Por que você ama o seu marido?" – o que você diria?

A maioria dos homens mencionaria a beleza de sua esposa, seu senso de humor, sua bondade ou sua força interior. Talvez falaria da sua comida, do seu bom gosto para decoração ou quem sabe da boa mãe que ela é.

As mulheres, provavelmente, diriam algo sobre a aparência de seu marido ou sobre sua personalidade. Elas o elogiariam pela estabilidade ou pelo caráter. Elas poderiam dizer que o amam porque ele está sempre presente. Ele é generoso. Ele é ajudador.

Mas e se dentro de alguns anos o seu cônjuge perdesse todas essas coisas? Você ainda o amaria? Baseado nas respostas acima, a única resposta lógica seria "não". Se as suas razões para amar seu cônjuge têm ligação com as qualidades dele – e se essas qualidades, de repente ou gradualmente, desaparecerem – a sua base para amar se vai.

A única maneira do amor durar por toda uma vida é se ele for incondicional. A verdade é: o amor não é determinado por estar *apaixonado*, pelo contrário, ele é determinado por *escolher* amar.

A Bíblia se refere a essa espécie de amor utilizando a palavra grega *ágape*.

Ele se difere dos outros gêneros de amor, que são – *philos* (amizade) e *eros* (amor sexual). Ambos, amizade e sexo, têm um lugar importante no casamento, claro, e são, definitivamente, parte da casa que construímos juntos como marido e mulher. Contudo, se o casamento depende totalmente de ter interesses em comum ou de uma vida sexual saudável, então a sua fundação é instável.

Philos e *eros* são mais responsivos por natureza e podem flutuar baseados em sentimentos. Quando alguém declara: "Me apaixonei por você", expressa amor *philos* e *eros*. Estes são inconstantes e dependem das circunstâncias.

É importante reconhecer que podemos nos permitir "gostar" e "desgostar" de muitas pessoas ao longo da vida. Por isso, é necessário proteger nosso coração das demais pessoas e guardá-lo somente para nosso cônjuge.

Além disso, é possível se apaixonar e desapaixonar de seu próprio cônjuge centenas de vezes na vida, dependendo de como você conduz e quanto está dedicando-se ao relacionamento. Sentir-se "apaixonado" é algo de que se pode desfrutar e se reavivar com o decorrer dos anos. Mas não deveria determinar seu nível de compromisso com o casamento.

Por outro lado, o amor *ágape* é abnegado, incondicional e imperativo. Apoia-se na decisão e no compromisso, não em sentimentos. Então, a menos que essa classe de amor se constitua em solidez no casamento, o desgaste do tempo poderia destruí-lo. O amor *ágape* se manifesta "na saúde e na doença", "na riqueza e na pobreza", em bons e maus momentos. É a única classe de amor *duradouro, imutável e verdadeiro.*

Isto se deve ao fato de ser a classe de amor que Deus tem. Não nos ama porque merecemos, mas, porque Ele é amoroso.

"Nisto está o amor, não em que nós tenhamos amado a Deus, mas em que ele nos amou, e enviou seu Filho para ser a propiciação pelos nossos pecados" (1Jo 4:10). Se Ele exigisse que provássemos ser dignos de seu amor, fracassaríamos de maneira lamentável. Sem dúvida, o amor de Deus é uma eleição que faz por Sua conta;

algo que recebemos de sua parte e que logo transmitimos aos demais. "Nós o amamos porque ele primeiro nos amou" (1Jo 4:19).

Se um homem diz à sua esposa, "Eu não a amo mais", ele na verdade está dizendo, "Eu nunca a amei, incondicionalmente, desde o início". Seu amor era baseado em sentimentos ou circunstâncias, não em compromisso. É nisso que resulta a construção de um casamento alicerçado no amor *philos* ou *eros*. Precisa haver no casamento uma fundação mais forte que a amizade ou a atração sexual. O amor incondicional, isso é, o amor *ágape*, não será governado pelo tempo ou pelas circunstâncias.

Isso não quer dizer, no entanto, que o amor que começa por razões erradas não pode ser restaurado e redimido. De fato, quando um casamento é reconstruído com o amor *ágape* na sua fundação, então os aspectos da amizade e do romance se tornam ainda mais intensos do que antes. Quando a apreciação de um pelo outro como melhores amigos e como amantes é baseada em um compromisso inabalável, experimentamos uma intimidade que não pode ser adquirida de nenhuma outra forma.

Porém, se não permitirmos que Deus plante o Seu amor dentro de nós, iremos lutar e fracassar na busca por esse tipo de casamento. O amor que "sofre todas as coisas; crê em todas as coisas, espera em todas as coisas, suporta todas as coisas" (1Co 13:7) não vem de dentro. Ele só pode vir de Deus.

A Bíblia diz que "Porque eu estou convencido de que nem a morte, nem a vida, nem os anjos, nem os principados, nem as potestades, nem as coisas do presente, nem as coisas porvir, nem a altura, nem a profundidade, nem alguma outra criatura será capaz de nos separar do amor de Deus, que está em Jesus Cristo nosso Senhor" (Rm 8:38-39). Essa é a espécie do amor de Deus. E, felizmente, – por uma escolha nossa – essa pode se tornar a espécie do nosso amor. Mas primeiro precisamos recebê-lo e compartilhá-lo.

E não se surpreenda caso seu cônjuge comece a viver confiantemente à sombra desse amor, se ele se tornar ainda mais adorável com você. Você não dirá mais: "Eu o amo porque...", você dirá: "Eu amo você e ponto final."

DESAFIO DE HOJE

FAÇA ALGO FORA DO NORMAL PARA O SEU CÔNJUGE ; ALGO QUE PROVE (PARA VOCÊ E PARA ELE) QUE O SEU AMOR É BASEADO EM SUAS DECISÕES E EM NADA MAIS. LAVE O CARRO DELA. LIMPE A COZINHA. COMPRE A SOBREMESA FAVORITA DELE. DOBRE AS ROUPAS LAVADAS. DEMONSTRE AMOR PELA SIMPLES ALEGRIA DE SEREM PARCEIROS NO CASAMENTO.

- Anote, aqui, quando o desafio de hoje estiver completo.

Seu amor tem se baseado nos atributos e comportamentos do seu cônjuge, ou em seu compromisso? Como você pode continuar demonstrando amor quando ele não retorna da maneira que espera?

____

____

____

____

____

____

____

____

Haverá muita tristeza para o perverso, mas aquele que confia no SENHOR, a misericórdia o cercará. (Sl 32:10)

"Nós dois prometemos que se alguma vez desistíssemos, voltaríamos a completar O desafio de amar". — Micaela

11º DIA

O Amor cuida

Assim devem os maridos amar a sua própria esposa como a seu próprio corpo. Quem ama a sua esposa ama-se a si mesmo. (Efésios 5:28)

Considere essas duas situações:

Um homem tem sérios problemas com seu carro velho, então ele o leva ao mecânico. Depois da avaliação feita, ele descobre que o carro precisa de uma revisão geral, o que custaria boa parte do seu orçamento. Por causa do alto custo do reparo, ele decide abrir mão do carro e gastar suas economias em um veículo novo. Parece lógico, certo?

Um outro homem, um engenheiro, acidentalmente, comprime sua mão em um equipamento. Ele corre para o hospital e tira o raio-X, descobrindo que existem vários ossos quebrados. Apesar de frustrado e com muitas dores, ele utiliza suas finanças de bom grado para ter a mão medicada e restaurada. Então, o engenheiro, cuidadosamente, trata dela de forma que, nos meses seguintes, seja restabelecida. Este caso, provavelmente, também lhe parece lógico.

O problema com a nossa cultura é que o casamento é tratado mais como o primeiro caso. Como uma possessão *descartável*. Quando o seu relacionamento passa por dificuldade, você é encorajado a trocar a sua esposa por um "modelo mais novo". Mas aqueles que têm essa visão não entendem o laço significante entre um esposo e uma esposa. A verdade é, o casamento é mais como o segundo caso. Somos parte um do outro. Você nunca arrancaria a sua mão se ela estivesse ferida, mas pagaria o que pudesse pelo melhor tratamento médico possível. Isso acontece porque a sua mão é muito valiosa para você. Ela é parte de quem você é, assim como o seu cônjuge.

O casamento é um lindo mistério criado por Deus, juntar duas vidas como sendo uma. Isso não só acontece fisicamente, mas espiritualmente e emocionalmente. Você começa compartilhando a mesma casa, a mesma cama, o mesmo sobrenome. Sua certidão individual se tornou uma. Quando o seu cônjuge sofre uma tragédia, ambos sentem a dor. Quando você alcança sucesso no trabalho, ambos se alegram. Mas em algum ponto ao longo do caminho, você é desapontado e a realidade de que se casou com uma pessoa imperfeita se manifesta.

Isso, contudo, não muda o fato do seu cônjuge ainda ser parte de você. Efésios 5:28,29 diz, "Assim devem os maridos amar a sua própria esposa como a seu próprio corpo. Quem ama a sua esposa ama-se a si mesmo. Porque nenhum homem detestou a sua própria carne; antes, a alimenta e sustenta, como também o Senhor à igreja".

A palavra *cuidar*, neste contexto, significa "abrigar". Imagine um bebê recém-nascido que se sente sozinho, com frio, fome, medo, e anseia que o acolham nos braços. Então sua mãe o acolhe com ternura, amamenta, acaricia e embala (1Ts 2:7).

Sua atenção e cuidado amorosos abrigam seu bebê, tanto física como emocionalmente. Esta é a imagem bíblica de como o esposo e a esposa devem cuidar um do outro.

A vida é fria e imprevisível. A tensão de cada dia pode nos desgastar. Às vezes, as relações são difíceis e atravessam temporadas hibernais, em lugar de cálidos dias primaveris. Entrar e tocar, acariciar e abrigar com ternura a vida e o coração de nosso cônjuge é responsabilidade nossa, acima de qualquer outra pessoa.

Grande parte desse *cuidado* pode ser logrado mediante a delicadeza com que tocamos nosso cônjuge não, necessariamente, com intenção sexual. Abraçar sua esposa, enquanto ela lava os pratos e beijar seu pescoço. Achegar-se ao carro e acariciar o braço de seu esposo. Enlaçar com o braço enquanto estão sentados na igreja. Caminhar de mãos dadas. Abraçarem-se enquanto assistem a um filme juntos. Confortar o outro com o calor de seu afeto. Lembre-se, ao demonstrar amor por seu cônjuge, você está demonstrando amor por si mesmo também.

Mas existe um outro lado dessa moeda. Quando você maltrata seu cônjuge, também maltrata a si mesmo. Pense nisso. A vida de vocês está, agora, trançada uma à outra. O seu cônjuge não pode sentir alegria ou dor, receber bênção ou maldição, sem que você também seja afetado. Então, quando você ataca o seu cônjuge é como atacar o seu próprio corpo.

É hora de deixar que o amor mude seu pensamento. É hora de entender que, seu cônjuge faz parte de você, tanto quanto sua mão, seus olhos ou seu coração. Ele também precisa ser amado e cuidado. E se existe algo causando dor e frustração, então você deve tratar disso com o mesmo amor e ternura como trataria uma ferida corporal. Se ele de alguma forma está machucado, você deve se ver como um instrumento que ajuda a levar cura para sua vida.

À luz disso, pense em como você trata o corpo físico do seu cônjuge. Você cuida dele como cuida do seu? Você se dirige a ele com respeito e ternura? Você sente prazer em quem ele é? Ou você o faz se sentir tolo e envergonhado? Assim como você aprecia os seus próprios olhos, mãos e pés, você deve apreciar o seu cônjuge como quem aprecia um presente muito caro.

Sempre que o marido olha nos olhos da esposa, ele deve se lembrar de que "aquele que ama a sua esposa ama a si mesmo". E a esposa deve lembrar-se de que quando ela o ama, ela também está amando e honrando a ela mesma.

Quando você olha para o seu cônjuge, está olhando para uma parte de você. Então, trate bem a sua esposa. Fale bem dele. Nutra e cuide do amor da sua vida.

DESAFIO DE HOJE

COMO VOCÊ PODE ALARGAR O CORAÇÃO DE SEU CÔNJUGE? BUSQUE OPORTUNIDADES DE AGREGAR CALOR AO FRIO DE SUA VIDA. SE FOR POSSÍVEL, GERE CONTATO FÍSICO INESPERADO E TERNO. ELEJA UM GESTO QUE EXPRESSE: "CUIDO DE VOCÊ", E O FAÇO COM SINCERIDADE.

- Anote, aqui, quando o desafio de hoje estiver completo.

O que você escolheu fazer para mostrar que cuida do seu cônjuge? O que você aprendeu com essa experiência?

E Jesus, respondendo, disse-lhe: O que queres que eu te faça? (Mc 10:51)

"Alguns desafios pareciam quase impossíveis de cumprir a princípio, mas a recompensa tem sido maior que os riscos e contratempos". — Nadina

12º DIA

O Amor deixa o outro vencer

Não atente cada um para suas próprias coisas, mas cada qual também para as coisas dos outros. (Filipenses 2:4)

Se lhe pedissem para citar três áreas nas quais você e seu cônjuge discordam, você seria capaz de fazer isso sem pensar muito. Você pode até ser capaz de fazer uma lista das dez primeiras se lhe dessem mais alguns minutos. E, infelizmente, a menos que um de vocês ceda, essas mesmas questões estarão sempre entre você e seu cônjuge.

Infelizmente, a teimosia chega como uma característica padrão do modelo de ambos, marido e esposa. Defender nossos direitos e opiniões faz parte da nossa natureza e construção. Porém, pode ser algo destrutivo em um casamento, e isso rouba o tempo e a produtividade. Pode, também, ser a causa de grandes frustrações para ambos.

Contudo, não é sempre ruim ser teimoso. Algumas coisas são dignas de defesa e proteção. Nossas prioridades, moral e obediência a Deus devem ser guardadas com grande esforço. Mas, na maioria das vezes debatemos por coisas insignificantes, como a escolha da cor da parede ou a escolha do restaurante.

Outras vezes, claro, o assunto é mais sério. Um deseja ter mais filhos; o outro não. Um deseja passar as férias com toda família, o outro não. Um deseja que as crianças estudem em uma escola particular; o outro prefere que elas passem para uma escola federal. Um pensa que é hora de um aconselhamento para casais ou acha que podem estar mais envolvidos com a igreja, enquanto o outro não. Apesar dessas questões não surgirem todos os dias, elas, volta e meia, aparecem e não vão embora. Parece que nunca chegaremos a uma solução ou a um acordo. Isso acaba se tornando uma obstinação. É como dirigir com o freio de mão puxado.

Só existe uma maneira de escapar de becos sem saída como esses, e essa solução é encontrada em uma palavra contrária à teimosia – uma palavra que já vimos enquanto discutíamos a bondade. Essa palavra é "disposição". É uma atitude, um espírito de cooperação que deve permear as nossas conversas. É como a palmeira à beira do oceano, que resiste aos ventos fortes porque sabe como se curvar de forma graciosa. E o maior exemplo disso é Jesus Cristo, como está escrito em Filipenses 2. Siga a instrução do Seu amor desprendido...

Como Deus, Ele tinha todo o direito de recusar se tornar homem, mas Ele se entregou e fez – porque estava disposto. Ele tinha o direito de ser servido por toda humanidade, mas veio para nos servir. Ele tinha o direito de viver em paz e segurança mas, de bom grado, rendeu a Sua vida por causa dos nossos pecados. Ele se dispôs, até mesmo, a suportar a tortura da cruz. Ele amou, cooperou e se colocou sob a vontade de Seu Pai, ao invés da sua própria vontade.

À luz desse maravilhoso testemunho, a Bíblia nos deixa, em resumo, a seguinte frase: "Que haja em vós a mesma mente que houve também em Cristo Jesus" (Fp 2:5) – o sentimento de disposição, flexibilidade, submissão e humildade. Significa renunciar tudo pelo bem dos outros o que temos direito de exigir para nós mesmos.

A única consequência de suas atuais discussões será que ambos continuarão inflexíveis. Mas, no momento em que um dos dois disser "Eu abro mão da minha opinião para fazer à sua maneira hoje", a discussão vai terminar. E apesar dessa atitude nos custar o orgulho e o desconforto, faremos um investimento de amor eterno em nosso casamento.

"Sim, mas depois eu vou parecer um bobo. Eu vou perder na discussão. Eu vou perder o controle da situação". Nós parecíamos bobos quando éramos teimosos e nos recusávamos a ouvir. Já perdemos na discussão quando fizemos dela algo mais importante que nosso casamento e a autoestima do nosso cônjuge. Já perdemos o controle emocional quando dissemos coisas que ofenderam e feriram nosso cônjuge.

A coisa mais sábia e amorosa a se fazer é começar a encarar os desentendimentos com a disposição de nem sempre insistir em fazer as coisas à nossa maneira. Isso não quer dizer que o nosso cônjuge está, necessariamente, certo ou sendo sábio no que diz respeito a um problema, mas significa que estaremos levando sua preferência em consideração, como forma de valorizá-lo.

O melhor conselho do amor vem da Bíblia, que diz, "Mas a sabedoria que vem do alto é, primeiramente pura, depois pacífica, gentil, e fácil de ser invocada" (Tg 3:17). Em lugar de tratar nosso cônjuge como inimigos ou como alguém de quem devemos nos proteger, comecemos a tratá-lo como nosso melhor e mais apreciado amigo. Vamos dar às suas palavras grande importância.

Não, não temos de estar sempre de comum acordo. Não temos de ser cópias um do outro. Se fôssemos, um de nós seria desnecessário. Duas pessoas que sempre compartilham as mesmas opiniões e perspectivas não têm o equilíbrio e sabor que aprimoram o relacionamento. Assim, as diferenças existentes entre duas pessoas são para aprendizado.

Você está disposto a se curvar para demonstrar amor ao seu cônjuge? Ou você se recusa a ceder por causa do orgulho? Se para você isso não tem importância ao longo do caminho – especialmente na eternidade – então, abra mão dos seus direitos e escolha honrar o seu amor. Será bom tanto para você quanto para o seu casamento.

Render-se a uma batalha pode ser a melhor maneira de se obter uma vitória maior.

DESAFIO DE HOJE

DEMONSTRE AMOR ATRAVÉS DA DISPOSIÇÃO, ESCOLHENDO CEDER EM UMA ÁREA DE DESACORDO ENTRE VOCÊ E SEU CÔNJUGE. DIGA A ELE QUE VOCÊ ESTÁ COLOCANDO A PREFERÊNCIA DELE EM PRIMEIRO LUGAR.

- Anote, aqui, quando o desafio de hoje estiver completo.

Do que você decidiu abrir mão hoje? O que isso lhe custou? Como isso o ajudará no futuro?

Se for possível, no que depender de vós, vivei em paz com todos os homens. (Rm12:18)

"Desfruto muitíssimo da paz interior que vem de saber que a raiva que sentia já não existe mais". — Roberta

13º DIA

O Amor Fair Play

E, se uma casa se dividir contra si mesma,
tal casa não pode subsistir. (Marcos 3:25)

Querendo ou não, os conflitos no casamento são, simplesmente, inevitáveis. Quando vocês selaram o casamento como noivo e noiva, não juntaram apenas suas esperanças e sonhos, mas juntaram também o coração, temores, imperfeições e carga emocional. A partir do momento em que saíram da lua de mel, iniciaram o processo real de descoberta um do outro, desagradavelmente, percebendo o quão pecador e egoísta cada um pode ser.

De repente, o seu cônjuge escorrega do seu pedestal e você do dele. A aproximação forçada do casamento começou a remover a farsa pública, expondo seus problemas pessoais e hábitos secretos. Bem-vindo à humanidade falha.

Ao mesmo tempo, as tempestades da vida começaram a prová-lo e a revelar do que você é feito realmente. Exigências do trabalho, problemas de saúde, discussões familiares e necessidades financeiras incendiaram o casamento em vários aspectos, acrescentando pressão e calor ao relacionamento. Isso prepara o caminho para que desentendimentos ocorram entre os casais. Discutimos e brigamos. Ferimos. Vivemos em conflito. Mas não estamos sozinhos.

Todos os casais passam por tempestades. Faz parte do casamento. Mas nem todos os casais sobrevivem a elas.

Então, não pense que fazer o desafio de hoje acabará com todos os conflitos do casamento. Pelo contrário, pôr em prática tal desafio o ajudará a lidar com o conflito de forma que vocês saiam saudáveis do outro lado. Os dois, juntos.

O dano mais profundo, mais doloroso que um dia podemos cometer (ou já cometemos) no casamento, está mais propício a acontecer em meio ao conflito. É porque é no conflito que o nosso orgulho é forte, nossa raiva é fervente. Somos mais egoístas e críticos. Nossas palavras são venenosas. Tomamos as piores decisões. Um casamento pode começar muito bem na segunda e ficar mal na terça, se conflitos desenfreados assumirem o controle e se nenhum de nós tiver o pé no freio.

Mas o amor chega e modifica as coisas. O amor nos lembra de que nosso casamento é valioso demais para permitirmos que se autodestrua, e que o nosso amor por nosso cônjuge é mais importante que qualquer discussão. O amor nos ajuda a instalar *air bags* e a construir corrimãos em nosso relacionamento. Isso nos faz lembrar de que os conflitos podem, na verdade, se transformar em algo bom. Os casais que aprendem a viver em meio a conflitos tendem a ser mais chegados, mais confiantes, mais íntimos, e a viver, subsequentemente, um relacionamento mais profundo.

Mas como? A maneira mais sábia é aprender a discutir com clareza, estabelecendo regras saudáveis para conflitos. Se não houver um guia de como abordar tópicos sérios, não haverá limites quando a discussão esquentar.

Basicamente, existem dois tipos de limites para lidar com conflitos: os limites "nós" e os limites "eu".

Os limites *"nós"* são regras com as quais ambos concordam de antemão, regras que se aplicam durante qualquer briga ou discussão. Cada um de nós tem o direito de, gentilmente, mas, diretamente, relembrar esses limites quando forem violados. Eles podem incluir:

1. Nunca mencionaremos divórcio.
2. Não levantaremos casos antigos e irrelevantes do passado.
3. Nunca iremos brigar em público ou na frente de nossos filhos.
4. Daremos um tempo se o conflito chegar a um nível nocivo.
5. Nunca tocaremos um no outro de modo ofensivo.
6. Nunca dormiremos com raiva um do outro.

7. O fracasso não é uma opção. Faremos o que for necessário para sairmos bem dele.

Os limites *"eu"* são regras que praticamos, pessoalmente, por nossa conta. Aqui estão alguns dos exemplos mais eficientes:

1. Eu ouço primeiro para depois falar. "Portanto, meus amados irmãos, todo o homem esteja pronto para ouvir, tardio em falar, tardio em irar-se"(Tg 1:19). O que escuta primeiro tem sempre a vantagem em uma briga. É necessário abordar temas sensíveis fazendo perguntas com respeito, em vez de chegar a conclusões ou a acusar sem pensar.
2. Eu lidarei com meus problemas honestamente. "E por que tu observas o cisco que está no olho do teu irmão, e não percebes a viga que está no teu próprio olho?" (Mt 7:3). Se você admite rapidamente que se equivocou e pede perdão primeiro, desarma seu cônjuge e neutraliza as munições que ele usava contra você, enquanto dá exemplo para que o outro também enfrente seus erros.
3. Falarei com gentileza e manterei o meu tom de voz baixo. A resposta calma desvia a fúria, mas a palavra ríspida desperta a ira (Pv 15:1). A gente costuma imitar o inimigo em uma briga. Quanto mais intenso você for, mais intensa será a outra pessoa. Quanto mais humilde e terno você for, mais humilde e terno será o outro. Que sua forma de falar seja adornada de amor, não importa o que você diga.

Fair play, jogar limpo, significa trocar nossas armas, agir de modo leal, discordar com dignidade. Significa construir uma ponte em vez de quebrá-la. O amor não é uma batalha, mas sempre vale a pena lutar por ele.

DESAFIO DE HOJE

CONVERSE COM O SEU CÔNJUGE E ESTABELEÇA REGRAS DE JOGO SAUDÁVEIS. SE NÃO ESTIVER PRONTO PARA ISSO, ENTÃO ESCREVA OS SEUS LIMITES PESSOAIS PARA RESPEITÁ-LOS DURANTE AS DISCUSSÕES. DECIDA COLOCÁ-LOS EM PRÁTICA QUANDO O PRÓXIMO DESENTENDIMENTO OCORRER.

- Anote, aqui, quando o desafio de hoje estiver completo.

Se o seu cônjuge participou com você, qual foi a reação dele? Que regras você escreveu para si mesmo?

Tende o mesmo pensamento uns para com os outros. (Rm 12:16)

"Necessitava de realizar mudanças em mim e queria ver melhores resultados com isso". — Jacqueline

14º DIA

O Amor sente prazer

Viva alegremente com a esposa que tu amas em todos os dias da vida da tua vaidade. (Eclesiastes 9:9)

O mundo busca, constantemente, ditar o que é atrativo e o que não é. O que é desejável e o que não é. Anuncia os últimos lançamentos, exibidos por modelos e estrelas de cinema, com a esperança de que você abra sua carteira e apresente seu cartão de crédito. Se você adotar esses padrões pouco realistas de beleza (tamanho, forma, peso e altura), vai passar a vida inteira descontente com o que vê no espelho, anelando que seu cônjuge se pareça mais com o que você vê nas fotos retocadas dos anúncios.

A boa notícia é que você não tem porque maldizer a vida em função de uma fantasia. Você, e não o resto do mundo, deve determinar o que é atrativo e desejável. Deve decidir desfrutar e deleitar-se, profundamente, agora mesmo, no tesouro incalculável que Deus já lhe deu, que é seu cônjuge. Por dentro e por fora. Não há nada que o impeça! Faça-o agora!

Uma das questões mais importantes que você deveria aprender nesse *Desafio* é que você não pode simplesmente *seguir* seu coração; deve *guiá-lo*. Não permita que seus sentimentos e emoções o conduzam. Coloque-os no banco traseiro e diga-lhes aonde vai.

Os recém-casados deleitam-se naquele que agora chamam de cônjuge. Seu amor é recente e jovem, e a esperança por um futuro romântico ganha espaço no coração deles. Porém, existe algo tão poderoso quanto aquele amor recente, tão novo. Vem da decisão de se deleitar no esposo ou esposa e amá-lo(a), não importando o tempo que estão casados. Em outras palavras, o amor que *escolhe* amar é tão poderoso quanto o amor que se *sente* amando.

Sob vários aspectos, é um amor ainda mais verdadeiro porque mantém os olhos bem abertos.

A Escritura afirma que Deus decidiu amar Seu povo, apesar de não ter o tamanho nem o mérito de outras nações (Dt 7:7,8). Devemos fazer o mesmo.

Se dependermos do egoísmo e dos sentimentos, sempre nos inclinaremos a comparar as fraquezas de nosso cônjuge com os pontos fortes de outros. Pensaremos: "Minha esposa não é tão respeitosa e radiante", ou "meu esposo não é tão amável e respeitado". Entretanto, nossos dias são demasiado fugazes para os desperdiçarmos concentrando-nos nas sombras, quando poderíamos estar desfrutando do sol.

Em vez disso, é hora de guiar seu coração, uma vez mais, deleitar-se em seu cônjuge. É hora de decidir amar e desfrutar dessa pessoa exatamente como Deus a fez. Chegou o momento de valorizar sua singularidade e de voltar a recordar porque se apaixonou por seus olhos e sua personalidade. É hora de dar-lhe a mão e buscar sua companhia, de anelar sua conversa, de aceitá-la tal como é – com peculiaridades e traços gerais – e voltar a recebê-la com braços abertos em seu coração. A Bíblia não diz que o homem deve casar-se com a mulher que ama, mas, sim, afirma que deve amar a mulher com quem se casou.

Suas preferências não vêm programadas desde o nascimento, nem você está destinado a atuar de acordo com elas. Você pode decidir o que cortar. Assim, se você for mal agradecido e negativo, é porque decidiu sê-lo. Se fustiga seu cônjuge em vez de elogiá-lo, é porque tem permitido que seu coração seja egoísta. Tem se deixado levar pela crítica.

Então, já é hora de tirar seu coração disso. Aprenda a deleitar-se em seu cônjuge uma vez mais. Quando renovar o amor por seu esposo, ou esposa, e voltar a dedicar tempo e energia necessários para o relacionamento, verá como seu coração desfruta do dia a dia com a outra pessoa.

Pode ser surpreendente para você saber que a Bíblia contém muitas histórias românticas, nenhuma mais atrevida e provocante que os oito capítulos de Cantares de Salomão. Veja a maneira como esses dois apaixonados sentem prazer um no outro neste livro poético...

A mulher: "Assim como a macieira entre as árvores do bosque, assim é o meu amado entre os filhos. Sentei-me sob a sua sombra com grande prazer, e o seu fruto foi doce ao meu paladar. Trouxe--me à casa do banquete, e o seu estandarte sobre mim era o amor". (Ct 2:3-4). O homem: "A figueira já deu os seus figos verdes, e as videiras com suas uvas macias exalam um bom aroma; levanta-te, meu amor, formosa minha, e vem. Pomba minha, que estás nas fendas das rochas, nos lugares ocultos das ladeiras, mostra-me o teu semblante, deixa-me ouvir a tua voz, porque doce é a tua voz, e o teu semblante é gracioso". (Ct 2:13-14).

Sentimental demais? Vigoroso demais? Não para aqueles que direcionam seu coração a se deleitar no amor da sua vida – mesmo quando o vigor desaparece, mesmo quando ela está usando rolos no cabelo, mesmo quando os cabelos dele estão caindo. É hora de lembrarmos por que nos apaixonamos. É tempo de rir e sonhar novamente e prazerosamente.

O desafio de hoje o direciona a uma mudança de coração real e radical. Para alguns, o movimento em direção ao deleite pode ser apenas um pequeno passo adiante. Para outros, esse movimento requer um salto gigante para fora de uma repugnância crônica.

Mas se você já sentiu prazer antes – o mesmo de quando se casou – você pode se deleitar de novo. Mesmo se isso aconteceu há muito tempo. Mesmo se grandes mudanças ocorreram para mudar sua percepção.

É sua a responsabilidade de reaprender o que ama nessa "nova" pessoa, para quem você se prometeu para sempre.

DESAFIO DE HOJE

PROPOSITADAMENTE, NEGLIGENCIE UMA ATIVIDADE A QUAL, NORMALMENTE, FARIA, PARA GASTAR UM TEMPO DE QUALIDADE COM O SEU CÔNJUGE. FAÇA ALGO QUE ELE AMARIA FAZER, OU UM PROJETO QUE ELE GOSTARIA MUITO DE REALIZAR. APENAS ESTEJAM JUNTOS.

- Anote, aqui, quando o desafio de hoje estiver completo.

Do que você decidiu abrir mão? O que vocês fizeram juntos? Como se deu esse acontecimento? Que novas coisas você aprendeu (ou reaprendeu) a respeito do seu cônjuge?

Para saber mais sobre "conduzir o seu coração", veja o apêndice, página 207

Meu filho, dá-me o teu coração, e deixa teus olhos observarem os meus caminhos. (Pv 23:26)

15º DIA

O Amor é nobre

Igualmente vós, maridos, coabitai com elas de acordo com o conhecimento, dando honra à mulher, como ao vaso mais frágil; como sendo coerdeiras da graça da vida; (1 Pedro 3:7)

A quem você respeita mais que qualquer outra pessoa no mundo? O que significaria para você poder se encontrar para almoçar com essa pessoa ou passar o dia com ela? Sem dúvida, se sentiria muito privilegiado. Quando falasse, escutaria com máxima atenção. Se pedisse algo, levaria a sério e procuraria atender.

Bem-vindo à definição da palavra *honra.*

Honrar alguém significa respeitá-lo e estimá-lo, tratá-lo como alguém especial e de grande importância. Quando falamos com eles, mantemos nossa linguagem clara e compreensível. Somos educados e agradáveis. Quando eles falam conosco, levamos a sério o que dizem, dando à suas palavras peso e significância. Quando nos pedem algo, nós os servimos de todas as maneiras possíveis, simplesmente, por respeito a quem são.

Por *honra.* Essa palavra descreve a forma nobre pela qual deveríamos viver.

A Bíblia costuma falar de honra quando nos diz que "honremos" nosso pai e mãe, e as autoridades. Os esposos devem honrar suas esposas (1Pe 3:7), e as esposas têm de respeitar a seus maridos (Ef 5:33). Essa é chave para a saúde e fortaleza de seu casamento. Não nos instrui a honrar o cônjuge somente se ele merecer, mas devemos fazê-lo porque é agradável a Deus e pela posição especial que essa pessoa ocupa em nossa vida.

Isso é especialmente verdadeiro no casamento. Honrar o cônjuge significa dar a ele total atenção: não falar com ele enquanto faz a leitura do jornal ou com os olhos voltados para a televisão. Quando decisões que afetam a ambos ou a toda família estão sendo tomadas, damos à voz e à opinião do nosso cônjuge a mesma influência em nossa mente. Honramos o que ele tem a dizer. Ele importa – e é através da forma pela qual o tratamos que deve saber disso.

Porém, existe uma outra palavra que nos convida a um lugar mais elevado, uma palavra que, na maioria das vezes, é banida do casamento, apesar de seu significado não poder ser contido. É uma palavra que, na verdade, forma a base da palavra honra – a verdadeira razão pela qual damos respeito e superioridade a nossa esposa ou marido. Esta palavra é *santo*.

Dizer que o seu(sua) esposo(a) é santo(a) para você não significa que ele(a) é perfeito(a). Santidade significa que ele(a) está separado(a) para um propósito maior – nada que seja comum ou cotidiano, mas especial e único. A pessoa que se tornou santa para você tem um lugar em seu coração que não pode ser ocupado por nenhum rival. Ela é sagrada para você, uma pessoa a ser honrada, elogiada e defendida.

Uma noiva cuida dessa maneira do seu vestido de noiva. Depois de usá-lo em seu dia especial, ela o cobre e o protege, depois separa-o de tudo o mais em seu armário. Você não a vê usando o vestido enquanto trabalha no jardim ou enquanto vai à cidade. Seu vestido de noiva tem um valor por si mesmo. Desse ponto de vista, ele é santo e sagrado para ela.

Quando duas pessoas se casam, cada cônjuge se torna "santo" um para o outro, pela união do casamento. Isso significa que nenhuma outra pessoa, no mundo inteiro, tem o direito de receber tal nível de compromisso e afeto de você. O seu relacionamento é incomparável. Você tem intimidade física só com ela, só com ele. Você edifica uma casa, cria seus filhos com essa pessoa. Seu coração, suas posses, sua vida serão absorvida em um laço incomum compartilhado com esse ser humano.

É assim que acontece em seu casamento? Seu cônjuge poderia dizer que você o honra e o respeita? Você o considera separado e valioso? Santo?

Talvez você não se sinta dessa maneira, e quem sabe até por uma boa razão. Talvez você deseje que alguém do lado de fora veja o nível de desrespeito que você recebe do seu marido ou da sua esposa – alguém que faça seu cônjuge se sentir envergonhado ao expor o que realmente é dentro de casa.

Mas essa não é a questão do amor. O amor honra mesmo quando é rejeitado. O amor trata o seu amado como alguém especial e sagrado mesmo quando suas atitudes ingratas são tudo o que recebe de volta.

É maravilhoso, com toda certeza, quando um marido e uma esposa estão juntos nesse propósito, quando eles estão seguindo o mandamento bíblico "Sede amigavelmente afeiçoados uns aos outros com amor fraternal", quando "preferindo-vos em honra uns aos outros" (Rm 12:10). "Que o casamento seja honroso entre todos, e a cama sem mácula" (Hb 13:4).

Mas quando seus esforços em honrar não são recíprocos, você deve honrar da mesma forma. É isso que o amor o desafia a fazer – a dizer "De todos os relacionamentos que eu tenho, darei mais valor ao nosso. De todas as coisas que estou disposto a sacrificar, sacrificarei o máximo por você. Com todas as suas falhas, pecados, erros e culpas – passadas e presentes – eu ainda escolho amar e honrar você". É assim que uma atmosfera para que o amor seja reaceso é criada. É assim que conduzimos o nosso coração a, novamente, amar de verdade nosso cônjuge. E essa é a beleza da honra.

DESAFIO DE HOJE

ESCOLHA UMA MANEIRA DE DEMONSTRAR HONRA E RESPEITO AO SEU CÔNJUGE QUE VÁ ALÉM DA SUA ROTINA. COMECE ESCUTANDO-O COM MAIS ATENÇÃO E RESPEITO. DEIXE-O VER QUE SUAS PALAVRAS E PEDIDOS SÃO MAIS IMPORTANTES PARA VOCÊ, E MOSTRE-LHE QUE O TEM EM MAIS ALTA ESTIMA QUE ANTES.

- Anote, aqui, quando o desafio de hoje estiver completo.

Como você escolheu demonstrar honra? Quais foram os resultados? Que outras maneiras de demonstrar honra você pode utilizar nos próximos dias?

____

____

____

____

____

____

____

____

____

Eu também os glorificarei, e eles não serão pequenos (Jr 30:19)

"O desafio de amar mudará sua vida. Prepare-se e não abandone.
Ame sua esposa como Deus ama você". — Daniel

16º DIA

O Amor intercede

Amado, eu desejo, acima de todas as coisas, que tu possas prosperar e em boa saúde, e que também a tua alma prospere. (3 João 1:2)

Não podemos mudar o nosso cônjuge. Por mais que desejemos, não podemos agir como Deus, alcançar o coração do nosso cônjuge e transformá-lo no que queremos que ele seja. Mas é nisso que a maioria dos casais gastam boa parte do seu tempo – mudar seu cônjuge.

A insanidade é conhecida por fazer a mesma coisa repetidamente e esperar resultados diferentes. Mas não é isso que acontece quando tentamos mudar nossa esposa ou nosso marido? É frustração ao nível mais elevado. Em algum ponto temos de aceitar que mudar o nosso cônjuge é algo que não podemos fazer. Mas aqui está o que podemos fazer. Podemos ser um "sábio fazendeiro".

Um fazendeiro não tem poder para fazer de uma semente uma colheita frutífera. Ele não pode exigir, manipular ou discutir com ela para gerar frutos. Mas ele pode plantar a semente em um solo fértil, regá-la e prover nutrientes, protegê-la das ervas daninhas, e então entregá-la nas mãos de Deus. Milhões de fazendeiros vivem desse processo há séculos. Eles sabem que nem todas as sementes germinam. Porém, a maioria crescerá se plantada em solo apropriado e se receber o que precisa.

Não há nenhuma garantia de que alguma coisa, neste livro, mudará seu cônjuge, e além disso, o objetivo não é esse. Pelo contrário, o objetivo é desafiá-lo a amar. Se você levar a sério *O Desafio de Amar*, há uma grande probabilidade de ocorrer uma mudança pessoal em você, de dentro para fora.

Se você realizar cada desafio, seu cônjuge será influenciado e o seu casamento florescerá diante dos seus olhos. Podem existir ervas daninhas. Pode até levar anos. Mas, independente de como seja o solo onde você está plantando, você terá sucesso. O que precisa ser feito é retirar as ervas daninhas do casamento. É preciso nutrir o solo do coração do nosso cônjuge e, então, depender de Deus para colher os resultados.

Contudo, não somos capazes de fazer isso sozinhos. Precisaremos de algo que é mais poderoso que tudo o que temos. E esse algo é a oração eficaz.

A oração realmente funciona. É um fenômeno espiritual criado por um Deus ilimitado e poderoso. E ela produz grandes resultados.

Você está a ponto de desistir do seu casamento? Jesus disse para orar ao invés de desistir (Lc 18:1). Está estressado e preocupado? A oração pode acalmar as tempestades (Fp 4:6-7). Você precisa de algo totalmente novo? A oração pode fazer a diferença (At 12:1-17).

Deus é soberano. Ele faz as coisas à Sua maneira. Ele não é um gênio em uma lâmpada que realiza todos os nossos desejos. Mas Ele, realmente, nos ama e deseja ter um relacionamento íntimo conosco. E isso não acontece sem oração.

Existem outros elementos-chave que precisam estar em funcionamento para que a oração seja eficaz. Basta dizer que a oração funciona melhor quando vem de um coração humilde, que tem um relacionamento correto com Deus e com os outros. A Bíblia diz, Portanto, confessem os seus pecados uns aos outros e orem uns pelos outros para serem curados. A oração de um justo é poderosa e eficaz (Tg 5:16).

Já se perguntou por que Deus lhe dá uma maravilhosa percepção dos defeitos escondidos do seu cônjuge? Você, realmente, acha que é para ser motivo de crítica constante? Não, é para ser motivo de oração constante. Ninguém conhece melhor o seu cônjuge que você.

Suas censuras e críticas estão funcionando? A resposta é não, porque não é isso que muda um coração. Pelo contrário, é hora de tentar falar com Deus em oração.

O marido descobrirá que Deus pode melhorar o que falta em sua esposa; algo que talvez ele mesmo não pudesse fazer. A esposa lucrará mais através de estratégias de oração do que todos os seus esforços persuasivos. Esse é, também, um modo de viver bem mais prazeroso.

Então, transforme suas reclamações em oração e veja o Mestre trabalhar enquanto você mantém suas mãos limpas. Se o seu cônjuge não tem nenhum tipo de relacionamento com Deus, então está claro um dos motivos pelos quais orar.

Além disso, comece a orar, exatamente, pelo que o seu cônjuge precisa. Ore pelo coração, pelas atitudes e pelas responsabilidades dele diante de Deus. Ore para que as mentiras se transformem em verdades. Ore para que o perdão substitua a mágoa. Ore por uma mudança genuína em seu casamento. E só então ore pelos desejos do seu próprio coração – para que o amor e a honra se tornem constantes. Ore para que o romantismo e a intimidade alcancem um nível mais profundo.

Um dos atos mais amorosos que podemos fazer pelo nosso cônjuge é orar por ele. "Pedi, e dar-se-vos-á; buscai e encontrareis; batei e abrir-se-vos-á" (Mt 7:7).

DESAFIO DE HOJE

COMECE, HOJE, ORANDO PELO CORAÇÃO DO SEU CÔNJUGE. ORE POR TRÊS ÁREAS ESPECÍFICAS DA VIDA DELE NAS QUAIS VOCÊ DESEJA QUE DEUS TRABALHE. ORE POR SEU CASAMENTO.

- Anote, aqui, quando o desafio de hoje estiver completo.

Você já experimentou o poder da oração? Pelo que você escolheu orar? Isso foi fácil ou lhe pareceu estranho?

Para obter um enfoque mais profundo sobre a oração eficaz e ideias sobre como orar por seu cônjuge, veja os apêndices III e V nas páginas 214 e 220.

____

____

____

____

____

____

____

____

____

Ora, nós sabemos que Deus não ouve a pecadores; mas, se algum homem adora a Deus, e faz a sua vontade, a esse ouve. (Jo 9:31)

17º DIA

O Amor traz intimidade

Aquele que encobre a transgressão busca o amor, mas aquele que repete um assunto separa os muitos amigos. (Provérbios 17:9)

Podemos ser próximos de um amigo que conhecemos desde criança ou desde os dias da faculdade. Podemos ser próximos a um irmão ou irmã, de nossos pais, ou de um primo que tem, aproximadamente, a mesma idade que nós. Mas nada se compara à proximidade existente entre um marido e uma esposa. O casamento é o relacionamento mais íntimo do ser humano: no emocional, físico e espiritual.

Por isso, necessitamos tanto dele e de sua formosura. Ansiamos por um amigo íntimo com quem possamos abrir o coração. Um companheiro seguro e leal que nos entenda de verdade. Alguém que conheça nossos segredos mais íntimos e, ainda assim, nos aceite. A intimidade poderia ser descrita como ser "completamente conhecido e amado".

Mas, tristemente, falta, em muitos casamentos, a intimidade a qual Deus deseja contemplar entre os cônjuges. Porque nessa grande bênção, também jaz seu maior perigo. Alguém que nos conhece a fundo pode nos amar com uma profundidade que jamais imaginamos, ou nos odiar de maneira tal que nunca nos recuperaremos de todo. São o fogo e temor do casamento. Por isso, para que a intimidade floresça, é fundamental criar um espaço seguro para que os cônjuges possam abrir o coração.

O que você está experimentando mais hoje em seu lar? É um livro aberto ou sepultura cerrada? Quanto falam de verdade? Quanto compartilham seus segredos? Seu cônjuge diria que você o faz sentir-se seguro ou assustado? Em especial, se têm ressentimento mútuo do passado, o mais provável é que sejam reservados e fujam da intimidade.

Se o lar não é considerado um lugar de segurança, os dois serão tentados a buscá-la em qualquer outro lugar.

Talvez em uma outra pessoa, iniciando um relacionamento que, ou flerta com o adultério ou realmente entra nele. Talvez possamos buscar conforto no trabalho ou em atividades ao ar livre, algo que nos separa, parcialmente, da intimidade, mas também nos mantém próximo às pessoas que nos respeitam e nos aceitam.

Qualquer que seja sua situação, o amor pode ajudá-lo a redescobrir a intimidade com seu cônjuge.

A Bíblia diz, "Não há temor no amor, mas o amor perfeito lança fora o medo" (1Jo 4:18). O marido ou a esposa não deve se sentir pressionado a ser perfeito para que receba aprovação. Ele(a) não deve "pisar em ovos" com medo de fazer algo que desagradará o outro, justamente, quando deveria se sentir confortável andando com seus próprios pés. Liberdade deve ser a atmosfera do casamento. Como Adão e Eva no jardim, a proximidade deve intensificar somente a intimidade. Estar "nu" e "não se envergonhar" (Gn 2:25) deve existir na mesma frase em seu casamento – fisicamente e emocionalmente.

Evidentemente, esse é um território delicado. O casamento descarrega a *bagagem* da outra pessoa na sua vida, e a sua na dela. Os dois têm motivos para ficarem constrangidos porque tiveram muitas coisas pessoais reveladas a um outro ser humano. Mas essa é sua oportunidade de proteger todas essas informações particulares sobre ele no abraço protetor do seu amor, e de prometer ser o que mais pode ajudá-lo a lidar com isso.

Alguns desses segredos precisam de correção. Então, podemos ser agentes de cura e restauração – não discursando, não criticando, mas ouvindo com amor e oferecendo apoio.

Alguns desses segredos só precisam ser aceitos. Eles são parte do caráter e da história da pessoa. E embora essas questões não sejam muito agradáveis de se lidar, elas sempre vão exigir um toque delicado.

Em ambos os casos, somente, você possui o poder de rejeitar o seu cônjuge por causa disto ou convidá-lo a entrar – com os defeitos e tudo o mais. Eles irão reconhecer que estão em um lugar seguro onde são livres para cometer erros, ou irão se recolher para si e se afastar, emocionalmente, de você, talvez para sempre. Amá-lo bem deve ser o trabalho de toda a sua vida.

Pense nisso desse modo. Ninguém o conhece tão bem como Deus, Aquele que o formou. O autor do Salmo 139 estava certo quando disse, "Tu conheces o meu assentar e o meu levantar; entendes o meu pensamento de longe. Cercas a minha vereda, e o meu deitar; e conheces todos os meus caminhos. Pois não há uma palavra em minha língua, mas eis que, ó SENHOR, tu sabes de tudo". (Sl 139:2-4).

E ainda assim, Deus, que conhece até os segredos que escondemos de nós mesmos, nos ama tão profundamente que não podemos ao menos medir. Quanto mais nós – pessoas imperfeitas – devemos estender a mão a nossos cônjuges em graça e entendimento, aceitando-os por quem são e assegurando-os que seus segredos estão seguros conosco?

Talvez essa seja uma área onde você falhou no passado. Se aconteceu assim, não espere que seu cônjuge lhe dê, imediatamente, acesso livre ao coração dele. Você deve iniciar reconstruindo a confiança. O próprio Jesus é descrito como Aquele que não invade a vida das pessoas, mas que permanece à porta e bate. "Eis que eu estou à porta e bato; se alguém ouvir a minha voz e abrir a porta, virei a ele, e cearei com ele e ele comigo" (Ap 3:20).

A realidade da intimidade sempre leva tempo para se desenvolver, especialmente, depois de ser comprometida. Mas seu compromisso de restabelecê-la pode começar hoje – para qualquer que esteja disposto a aceitar o desafio.

DESAFIO DE HOJE

COMECE A DESENVOLVER INTIMIDADE EMOCIONAL COM SEU CÔNJUGE. DECIDA GUARDAR OS SEGREDOS DO SEU CÔNJUGE (A MENOS QUE SEJA PERIGOSO PARA ELE OU PARA VOCÊ) E ORAR POR ELE. FALE COM SEU ESPOSO OU ESPOSA E OUÇA COM ACEITAÇÃO E CORAÇÃO ABERTO. FAÇA COM QUE ELE SE SINTA SEGURO.

- Anote, aqui, quando o desafio de hoje estiver completo.

Quanto mais seguro alguém se sente, mais provável será que abrirá seu coração. Como tem sido esta realidade em seu casamento até agora? Quão difícil é para você se conter em fazer uma crítica ou algo parecido? O que você aprendeu sobre o seu cônjuge hoje, simplesmente, ao ouvi-lo?

Eu sou do meu amado, e o meu amado é meu. (Ct 6:3)

"Você deve crer nisto e não perder a esperança. Essa foi minha experiência". — Francis

18º Dia

O Amor busca entender

Feliz é o homem que encontra sabedoria, e o homem que adquire entendimento. (Provérbios 3:13)

Gostamos de descobrir o máximo que podemos sobre as coisas que, realmente, nos importam. Se é nosso time de futebol favorito, iremos ler todos os artigos que nos ajudarão a acompanhar o seu desempenho. Se é cozinhar, vamos sintonizar no canal de televisão que compartilha as melhores dicas de culinária e receitas de sobremesa. Se é um assunto que nos interessa, anotaremos todas as vezes que algo relacionado a ele aparecer. De fato, é quase como uma área de estudo pessoal.

Não há problema em se interessar por coisas externas e estar "por dentro" de certos assuntos. Mas é nesse momento que o amor faria a seguinte pergunta, "Quanto você conhece o seu cônjuge?"

Pense nos dias em que você estava paquerando aquele que hoje é seu cônjuge. Você não estudava aquele(a) por quem o seu coração ansiava?

Quando um homem tenta ganhar o coração de uma mulher, ele a estuda. Ele descobre do que ela gosta, do que não gosta, seus hábitos e hobbies. Mas depois que ele ganha o coração dela e se casa, geralmente, ele para de descobrir coisas novas sobre ela. O mistério e o desafio de conhecê-la parece menos fascinante e ele vê seus interesses deslocados para outras áreas.

Isto também acontece, em muitos casos, com as mulheres que começam admirando e construindo respeito pelo homem com quem desejam estar. Entretanto, depois do casamento os mesmos sentimentos desaparecem à medida que a realidade revela que seu "príncipe" é um homem falho e imperfeito.

Mas, mesmo depois do casamento, existem coisas que precisam ser descobertas a respeito do seu cônjuge. E esse entendimento os aproximará. Você pode até obter favor aos olhos da sua esposa. "O bom entendimento favorece" (Pv 13:15). Considere a seguinte perspectiva: se tudo o que você conheceu do seu marido ou da sua esposa antes do casamento se comparar a um diploma do ensino médio, então, você precisa continuar aprendendo sobre ele(a) até conquistar um diploma universitário, um mestrado e, por fim, um doutorado. Pense nisso como uma jornada de vida que conduz o seu coração para mais perto do seu cônjuge.

- Você conhece os maiores sonhos e esperanças dele(a)?
- Você tem pleno conhecimento de como ele(a) prefere dar e receber amor?
- Você sabe quais são os maiores medos do seu cônjuge e por que ele luta contra eles?

Alguns dos problemas que você tem no que se refere ao seu cônjuge existem, simplesmente, porque você não o entende bem. Ele, provavelmente, reage de maneira diferente da que você reagiria, e você não entende o porquê.

Tais diferenças – mesmo aquelas que são, relativamente, insignificantes – podem ser a causa de muitas brigas e conflitos no casamento. Isso acontece porque, como diz a Bíblia, temos a tendência de "difamar" as coisas que não entendemos (Jd 1:10).

Existe uma razão para cada gosto ou preferência do seu cônjuge. Cada nuance no caráter dele tem uma história. Cada elemento de quem ele é, como ele pensa e com o que se parece é baseado em uma série de princípios que, na maioria das vezes, só fazem sentido para a pessoa que o apoia. Mas vale a pena o tempo investido em descobrir por que seu esposo ou esposa *é do jeito que é.*

Se você perder o nível de intimidade que uma vez teve com o seu cônjuge, uma das melhores maneiras de destravar o coração dele, novamente, é se comprometer em conhecê-lo. Estude-o. Leia--o como você lê um livro que está tentando compreender.

Faça perguntas. A Bíblia diz, "O coração do prudente adquire o conhecimento" (Pv 18:15). O amor toma a iniciativa de começar a conversa. Para que seu companheiro possa se abrir, ele precisa saber que seu desejo de entendê-lo é real e genuíno.

Ouça. "Os homens sábios acumulam o conhecimento, mas a boca do tolo está perto da destruição". (Pv 10:14). O objetivo de conhecer o seu cônjuge é ouvi-lo, não dizer a ele tudo o que pensa. Mesmo se o seu cônjuge não for muito falante, o amor o convida a descobrir as "águas profundas" que habitam dentro dele (Pv 20:5).

Peça a Deus discernimento. "Porque o SENHOR dá a sabedoria; da sua boca vem o conhecimento e o entendimento" (Pv 2:6). Coisas como diferenças de gênero, antigos problemas familiares e experiências de vida variadas podem encobrir sua habilidade de conhecer o coração e as motivações do seu cônjuge. Mas Deus é generoso em sabedoria. O Senhor lhe mostrará o que você precisa para saber como amar mais o seu cônjuge.

"Através da sabedoria se edifica uma casa, e pelo entendimento ela é estabelecida; e pelo conhecimento se encherão as câmaras com todas as riquezas preciosas e agradáveis". (Pv 24:3-4).

Existe uma profundidade de beleza e significado em sua esposa ou em seu marido que o maravilhará à proporção que você descobre mais dele ou dela. Deseje conhecer essa pessoa além do que você já conhece. Faça dela a sua área de estudo escolhido, e você preencherá a sua casa com o tipo de riqueza que só pode ser proporcionada pelo amor.

DESAFIO DE HOJE

PREPARE UM JANTAR ESPECIAL EM CASA, SÓ PARA VOCÊS DOIS. O JANTAR PODE SER TÃO AGRADÁVEL QUANTO VOCÊ PREFERIR. SEPARE ESTE MOMENTO PARA CONHECER SEU CÔNJUGE MELHOR, TALVEZ EM ÁREAS QUE VOCÊS, RARAMENTE, CONVERSAM. DECIDA FAZER DESSA, UMA NOITE AGRADÁVEL PARA VOCÊ E SEU AMOR.

- Anote, aqui, quando o desafio de hoje estiver completo.

O que você descobriu sobre o seu cônjuge? Como você pode continuar esse processo de descoberta, de outras maneiras? Quais foram alguns dos momentos que tornaram essa noite memorável?

____

____

____

____

____

____

____

Para uma lista de perguntas relacionadas ao desafio de hoje, veja o apêndice II, página 212

A sabedoria é a principal coisa; portanto, adquire a sabedoria, e com toda a tua aquisição, adquire entendimento. (Pv 4:7)

19º DIA

É impossível amar?

Amados, amemo-nos uns aos outros; porque o amoré de Deus; e qualquer que ama é nascido de Deus e conhece a Deus.
(1 João 4:7)

O Desafio de Amar se inicia com um segredo. E apesar desse segredo ser um elemento silencioso no decorrer de cada dia, você se tornou, gradativamente, mais desconfiado dele. Agora que já chegou até aqui, esse é um segredo que está descobrindo por você mesmo, ainda que não saiba, exatamente, como colocá-lo em palavras.

O segredo é o seguinte: não podemos obter amor incondicional (ou o amor *ágape*) pelo nosso próprio coração. É impossível. Está além das nossas capacidades. Está além de todas elas.

Talvez você não queira acreditar. Quem sabe esteja convencido de que, com suficiente esforço e compromisso, possa reunir por conta própria, um amor incondicional, eterno e abnegado. E, ainda que seja verdade que talvez possa demonstrar ternura e generosidade, e ainda que tenha aprendido a ser mais atencioso que antes, a tarefa de amar alguém com sinceridade, constância, de forma abnegada e incondicional é algo, completamente, diferente.

Você pode, ainda, não acreditar nisso. Pode estar convencido de que com muito trabalho e comprometimento, você pode criar o amor incondicional, a longo prazo e sacrificial a partir do seu próprio coração. Você quer acreditar que tal amor está em você.

Quantas vezes, por exemplo, seu amor tem impedido você de manipular e enganar, cobiçar, invejar, reagir de forma exagerada ou ter pensamentos condenatórios ou desrespeitosos?

Por quantas vezes o seu amor provou ser incapaz de controlar a sua raiva? Quantas vezes o seu amor o motivou a perdoar ou promoveu um desfecho apaziguador em uma discussão constante?

São esses fracassos que revelam a condição pecaminosa da humanidade. Fomos todos destituídos da glória de Deus (Rm 3:23). Todos nós demonstramos egoísmo, ódio e orgulho. E a menos que alguma coisa seja feita para nos purificar desses vícios pecaminosos, iremos permanecer diante de Deus culpados e condenados (Rm 6:23). É por esta razão que se não estivermos corretos diante de Deus, não podemos amar de verdade nosso cônjuge, porque Deus é a fonte desse amor.

Não podemos dar o que não temos. Não podemos acessar reservas e fontes interiores que não podem ser exploradas. Da mesma forma que não podemos pagar um milhão de dólares se não tivermos condições, não podemos demonstrar o amor que não temos. Podemos tentar, mas iremos falhar.

O amor que é fiel e puro, e que pode suportar todas as pressões está fora de seu alcance, enquanto procura encontrá-lo dentro de si mesmo. É preciso outra fonte. É necessário que alguém dê a você essa classe de amor. E aqui há uma boa notícia: Deus, em Seu grande amor por você e por seu cônjuge, criou um modo de expressar Seu amor *através* de você.

"Porque o amor é de Deus" (1Jo 4:7). A Escritura comunica de forma coerente que o amor se descobre ao recorrer ao Filho de Deus, Jesus Cristo, que foi enviado à Terra para ser o exemplo e a fonte do amor perfeito. Somente, quando nos desfazemos de nosso egoísmo e pedimos com sinceridade a Cristo que entre em nossas vidas e assuma o controle, nossa necessidade mais profunda de amor é saciada, e alcançamos a maior capacidade para amar. Jesus declarou. E, somente, aqueles que permitiram que Ele entrasse em seus corações através da fé em Seu Filho, Jesus – somente, aqueles que receberam o Espírito de Cristo através da fé em Sua morte e ressurreição – são capazes de alcançar o real poder do amor. "Porque sem mim", disse Jesus, "nada podeis fazer" (Jo 15:5).

Mas Ele também disse, "Se vós permanecerdes em mim, e as minhas palavras permanecerem em vós, pedireis o que quiserdes, e vos será feito" (Jo 15:7). Permanecer significa manter os laços profundos de um relacionamento interpessoal. Não é jargão religioso, mas sim um convite espiritual. Ao manter um relacionamento diário com Jesus, você pode conhecer "é capaz de fazer tudo muito mais abundantemente além daquilo que pedimos ou pensamos, segundo o poder que em nós opera" (Ef 3:19). Então, pode amar incondicionalmente.

Ao render-se a Cristo, Seu poder pode operar através de você. Mas Ele "é capaz de fazer infinitamente mais do que tudo o que pedimos ou pensamos, de acordo com o seu poder que atua em nós" (Ef 3:20). É assim que devemos amar nosso cônjuge.

Assim que, sua incompetência e incapacidade (por mais frustrantes que lhe pareçam) têm um final feliz estende a mão e recebe com fé o amor de Deus dispensado a você. Isso significa que o amor que Ele tem "derramado em nossos corações pelo Espírito Santo que é dado a nós" (Rm 5:5) está sempre disponível, todas as vezes que decidimos nos submeter a ele.

Simplesmente, não somos capazes de demonstrar esse amor sem Deus. Porém, muitos estão descobrindo que podem fazê-lo... com Ele.

Quem sabe, você nunca entregou o seu coração a Cristo, mas sente que Ele o atrai. Você deve estar percebendo pela primeira vez que, também, desobedeceu aos mandamentos de Deus, que a sua culpa o impedirá de conhecê-Lo. Mas, as Escrituras dizem que se nos arrependermos e abandonarmos o pecado e nos voltarmos para Deus, Ele está de braços abertos para nos perdoar por causa do sacrifício que o Seu Filho sofreu na cruz. Ele o está chamando não para escravizá-lo, mas para libertá-lo, de forma que receba Seu amor e perdão. Então, esse amor pode ser compartilhado com aquele que você foi chamado, especificamente, para amar.

Talvez, você já seja cristão, mas poderia admitir que está caminhando longe da companhia do Senhor. Você não está vivendo na

Palavra, não tem uma vida de oração, pode ser que você nem esteja mais indo aos cultos. O amor que você sentia correr pelas suas veias se reduziu à apatia.

A verdade é, não podemos *viver* sem Ele e não podemos *amar* sem Ele. E não existem palavras que expliquem o que Ele pode fazer em seu casamento se você colocar a sua confiança nele.

DESAFIO DE HOJE

OLHE OS DESAFIOS DOS DIAS ANTERIORES. EXISTE ALGUM QUE PARECIA IMPOSSÍVEL PARA VOCÊ? VOCÊ PERCEBEU QUE PRECISA DE DEUS PARA MUDAR SEU CORAÇÃO E LHE DAR CAPACIDADE PARA AMAR? PEÇA A ELE PARA MOSTRAR EM QUE VOCÊ PRECISA DA INTERVENÇÃO DELE, E PEÇA FORÇA E GRAÇA PARA CUMPRIR O SEU DESTINO ETERNO.

- Anote, aqui, quando o desafio de hoje estiver completo.

O que Deus está lhe dizendo? Existe alguma agitação em seu coração? Que atitude você tomou em resposta a Ele?

____

____

____

____

____

____

____

____

____

____

Com homens isto é impossível, mas com Deus todas as coisas são possíveis.(Mt 19:26)

"Compreendi que o verdadeiro propósito de O Desafio de Amar é construir minha relação com Deus". — Constanza

20º DIA

Jesus Cristo é amor

Porque estando nós ainda sem força, Cristo, a seu tempo, morreu pelos ímpios. (Romanos 5:6)

Você se sente amado por Deus? Deveria senti-lo. Profundamente. Nunca poderá amar de verdade outra pessoa até que compreenda como o senhor ama você. "Aquele que não ama não conhece a Deus; porque Deus é amor" (1Jo 4:8).

Deus não somente amou você ao criá-lo, ao dar-lhe fôlego de vida e ao sustentá-lo. Sua maior prova de amor foi enviar Seu Filho. O versículo mais famoso da Bíblia declara: "Porque Deus amou tanto ao mundo que ele deu o seu Filho unigênito, para que todo o que nele crê não pereça, mas tenha a vida eterna" (Jo 3:16).

Durante séculos, milhões em todo o mundo têm encontrado o amor de Deus e têm se relacionado com Ele graças a essas verdades... Verdades que resumem o grande amor de Deus por você e a graça que Ele oferece. Jesus veio buscá-lo e salvá-lo (Lc 19:10). Mas, de quê?

A Bíblia diz que já nascemos pecadores. "Eis que fui moldado na iniquidade, e em pecado minha mãe me concebeu" (Sl 51:5). Então, por vontade própria, nos tornamos egocêntricos, desonestos, odiosos, lascivos, desobedientes e mal agradecidos, e nos afastamos do temor e conhecimento de Deus (Rm 3:9-20). "Todos nós, porém, somos como uma coisa impura, e todas as nossas justiças são como trapos imundos" (Is 64:6).

Nós merecemos o inferno. Simplesmente, não somos bons o suficiente para vivermos com esse Deus puro e santo. Todavia, "Nisto se manifestou o amor de Deus. Entretanto, Deus contemplou a Terra e viu "Todos desviaram-se, e juntos se tornaram imundos; não há ninguém que faça o bem, não, nem um". (Sl 14:2,3)

Sabia que sem Sua intervenção, não teríamos esperança de nos purificar nem sermos, suficientemente, bons para caminharmos com Ele na eternidade a Seu lado no céu.

Também sabia que Sua justiça exigiria julgar nosso pecado (Rm 6:23). Deus não envia pessoas inocentes para o inferno. Somos culpados. Merecemos. Todos e cada um de nós (Ef 2:1-7).

Sem dúvida, em Seu amor e misericórdia, "enviou seu Filho unigênito ao mundo, para que pudéssemos viver através dele". (1Jo 4:9). Jesus Cristo "...seu próprio corpo levou os nossos pecados sobre o madeiro, para que nós, mortos para os pecados, pudéssemos viver para a justiça" (1Pe 2:24). Por Sua morte, Jesus invalidou para sempre a ideia de que você não é amado. Se, alguma vez você se sentiu assim, não está contemplando a cruz. Ali, Cristo demonstrou Seu amor por você.

Amor como esse não pode ser completamente compreendido. "Pois dificilmente alguém morrerá por um homem justo; talvez alguém ouse morrer pelo homem bom. Mas Deus demonstra o seu amor para conosco, em que sendo nós ainda pecadores, Cristo morreu por nós". (Rm 5:7,8).

Nem pode ser adquirido por meio de esforços. "Porque o salário do pecado é a morte, mas o dom de Deus é a vida eterna, por Jesus Cristo nosso Senhor". (Rm 6:23). "Porque pela graça sois salvos, por meio da fé; e isso não vem de nós; é dom de Deus" (Ef 2:8).

Mas necessitamos de receber esse amor. "Se você confessar com a sua boca que Jesus é Senhor e crer em seu coração que Deus o ressuscitou dentre os mortos, será salvo. Pois com o coração se crê para justiça, e com a boca se confessa para salvação" (Rm 10:9-10).

Quando recebemos essa nova vida e esse amor como nossa própria vida e nosso próprio amor, nos tornamos livres para amar de formas que antes eram impossíveis.

"Nisto percebemos o amor de Deus: porque ele deu a sua vida por nós, e nós devemos dar as nossas vidas pelos irmãos... E este é o seu mandamento: que creiamos em o nome de seu Filho Jesus Cristo, e nos amemos uns aos outros, segundo o mandamento que ele nos deu". (1Jo 3:16, 23). Tudo aquilo em que você tem fracassado, todo bem que não conseguiu realizar, cada minuto desperdiçado... tudo pode ser perdoado e restaurado no momento em que você coloca sua vida nas mãos daquele que primeiro deu a você Seu amor e Sua vida.

Talvez nunca o tenha feito. Então, hoje é o dia. " Eis aqui agora o tempo aceitável, eis aqui agora o dia da salvação" (2Co 6:2).

Talvez o tenha feito faz anos, mas tem se afastado há muito tempo de suas raízes espirituais. Então, "Arrependei-vos, portanto, e convertei-vos, para que os vossos pecados sejam apagados" (At 3:19).

Deus estava disposto a amá-lo mesmo você não sendo merecedor, mesmo quando você não retribui o amor. Ele pôde ver todas as suas falhas e imperfeições e ainda escolheu amá-lo. O Seu amor sofreu o maior sacrifício para suprir a nossa maior necessidade. Como resultado, você é capaz (pela graça) de caminhar na plenitude e na bênção do Seu amor. Agora e para sempre.

Isso significa que, agora, você compartilha desse mesmo amor com o seu cônjuge. Você é capaz de amar mesmo quando o seu amor não é correspondido. Você pode ver todas as falhas e imperfeições dele e, ainda, escolher amá-lo. E apesar de não poder suprir as necessidades do seu cônjuge como Deus pode, você pode se tornar instrumento dele para suprir as carências do amor da sua vida. Como resultado, ele pode caminhar na plenitude e na graça do amor. Agora e até a morte.

O amor verdadeiro só é encontrado em Cristo. E depois que receber o Seu dom da nova vida, entendendo e aceitando Sua morte em seu lugar e o perdão pelos seus pecados, você, finalmente, está pronto para viver o desafio.

DESAFIO DE HOJE

DESAFIO VOCÊ A CONHECER A DEUS PELA PALAVRA. DESAFIO VOCÊ A CRER EM JESUS COMO SEU SALVADOR. DESAFIO VOCÊ A ORAR, "SENHOR JESUS, SOU PECADOR, MAS O SENHOR MOSTROU O SEU AMOR POR MIM MORRENDO PARA PERDOAR OS MEUS PECADOS, E O SENHOR PROVOU O SEU PODER AO ME SALVAR DA MORTE POR MEIO DA RESSURREIÇÃO. SENHOR, MUDE O MEU CORAÇÃO, E SALVA-ME PELA TUA GRAÇA."

- Anote, aqui, quando o desafio de hoje estiver completo.

Escreva como foi essa experiência para você. Mesmo se você estiver apenas renovando o compromisso de receber e expressar Seu amor, o que Ele lhe mostrou hoje?
Para descobrir mais sobre a salvação que Cristo oferece, veja o Apêndice VI na página 222

No seu amor, e na sua piedade, ele os redimiu. (Is 63:9)

21º Dia

O Amor é saciado em Deus

E o SENHOR te guiará continuamente,
e satisfará tua alma na seca. (Isaías 58:11)

O vigésimo dia foi de vital importância na jornada de *O Desafio de Amar* – e na sua vida. Você esteve face a face com a maior necessidade do coração de todo ser humano. E, talvez, em primeira instância, tomou conhecimento do quanto essa necessidade é individual. Você deve ter percebido que nada em sua caixa de talentos e suplementos pode reparar o estrago que o pecado produz e que Jesus é o único que pode suprir o que falta em você. Se você O recebeu por fé e permitiu que Ele gerenciasse e governasse a sua vida, então Seu Santo Espírito está renovando o seu coração. Sua sabedoria, graça e poder podem ser liberados, agora, em tudo o que você faz, incluindo seu casamento.

Contudo, se esse é um território novo para você ou se você é um seguidor de Jesus por algum tempo, agora, é a hora de firmar algo em sua mente: você precisa de Deus a cada dia. Não é uma proposta temporária. Somente Ele pode satisfazê-lo. Caminhar a Seu lado não é uma proposta de médio tempo.

Muitas vezes, pensamos que o dinheiro, a fama, o sucesso e o poder nos farão felizes. O rei Salomão conseguiu tais metas em grande medida, e descobriu por várias vezes que "tudo foi inútil, foi correr atrás do vento" (Ec 2:11). Chegou à conclusão de que, como toda boa dádiva vem de Deus, pois "Não há nada melhor para o homem do que comer e beber, e fazer com que sua alma goze do bem do seu trabalho. Isto também eu vi que vem da mão de Deus" (Ec 2:24).

E, sem dúvida, quando nosso reservatório de felicidade se esvazia, costumamos na ausência de a algo que queremos e não possuímos. Não percebemos que nada do que Deus criou na Terra pode nos satisfazer mais que Ele próprio... nem sequer nosso cônjuge. O Senhor despertou os anseios em nosso interior para que O buscássemos e nos enchêssemos de Sua provisão divina. O amor, a alegria e a paz verdadeiros e duráveis são encontrados somente nele (Gl 5:22).

Seu marido pode chegar tarde em casa mais uma vez. Mas Deus sempre chegará na hora.

Sua esposa pode desapontá-lo mais uma vez. Mas podemos sempre confiar na promessa de Deus a qual liberada.

Todos os dias, você cria expectativas a respeito do seu cônjuge. Algumas vezes ele até preenche suas expectativas. Às vezes não. Mas ele nunca será capaz de satisfazer todas as suas exigências – em parte por que algumas das suas exigências são absurdas, em parte por que o seu cônjuge é humano.

Deus, por outro lado, não é. E aqueles que se achegam a Ele todos os dias, em total dependência, pelas necessidades verdadeiras da sua vida, são os que descobrem o quanto Deus é digno de confiança.

Seu cônjuge lhe proporciona paz interior? Não. Mas Deus proporciona. "Não estejais inquietos por coisa alguma; mas em tudo, pela oração e súplica com ação de graças, sejam as vossas petições conhecidas diante de Deus. E a paz de Deus, que excede todo o entendimento, guardará os vossos corações e as vossas mentes, através de Cristo Jesus" (Fp 4:6-7).

Seu cônjuge o deixa feliz e satisfeito independente do que a vida lhe proporciona? Não. Mas Deus deixa. "Eu sei como estar humilhado e sei também como ter abundância; em todo lugar e em todas as coisas... Eu posso fazer todas as coisas por meio de Cristo, que me fortalece" (Fp 4:12-13).

Existem necessidades em sua vida as quais somente Deus pode satisfazer totalmente. Apesar do seu marido ou da sua esposa poderem preencher alguns desses requisitos – pelo menos ocasionalmente – só Deus é capaz de supri-los por completo. Sua necessidade de amor. Sua necessidade de aceitação. Sua necessidade de alegria. É hora de parar de esperar que alguém ou alguma coisa o faça completo para sempre. Somente Deus pode fazer isso à medida que você aprende a depender dele. Mas Ele quer fazer isso à maneira dele. "O meu Deus, suprirá todas as vossas necessidades, segundo as suas riquezas, em glória, por Cristo Jesus" (Fp 4:19).

A necessidade de amor, paz e adequação é real. Ninguém está dizendo que você não pode tê-las. Porém, ao invés de ficar ligado a coisas que são instáveis e sujeitas a mudanças – saúde, dinheiro, até mesmo os sentimentos e melhores intenções do seu cônjuge – ligue-se a Deus. Ele é o único na sua vida que nunca muda. Sua fidelidade, Sua verdade e Suas promessas para Seus filhos sempre permanecerão. É por esta razão que você precisa buscá-Lo todos os dias.

Se você busca felicidade em coisas terrenas, vai acabar perdendo Deus e sentindo-se infeliz. Mas, quando se dedica à busca de amar e agradar ao Senhor, não só obtém uma relação íntima com Ele, senão também felicidade, como a cereja da sobremesa. E a Bíblia ainda diz, "Deleita-te também no SENHOR; e ele te dará os desejos do teu coração" (Sl 37:4). Quando O buscamos em primeiro lugar, O amamos em primeiro lugar e colocamos o nosso relacionamento com Ele no topo das nossas prioridades, Ele promete nos suprir com o que realmente precisamos – que é, na verdade, tudo o que nos satisfaz.

Certa vez, Jesus conversou com uma mulher samaritana próximo a um poço, uma mulher que procurou satisfazer suas necessidades através de uma série de relacionamentos falidos. Com a vida e o cântaro vazios, ela chegou a esse lugar arruinada e endurecida, mesmo estando, desesperadamente, necessitada. Mas em Cristo ela encontrou o que Ele chamou de "água viva" (Jo 4:10) – um suprimento que não era para matar a sede temporariamente. O que Ele ofereceu foi uma bebida para a satisfação da alma, que nunca para de jorrar dádivas e refrigério. E é isso que está disponível para você, a cada manhã ao nascer do sol e a cada noite, antes de dormir, independente de quem seja o seu cônjuge ou o do que ele lhe fez.

Permanece, então, "a alegria plena da tua presença", escreveu o rei Davi a Deus. "À tua mão direita há prazeres para sempre" (Sl 16:11). Deus é o seu suprimento diário. Ele é tudo o que você precisa.

DESAFIO DE HOJE

SEPARE, HOJE, UM TEMPO PARA ORAR E LER A BÍBLIA. TENTE LER UM CAPÍTULO DE PROVÉRBIOS A CADA DIA (SÃO TRINTA E UM – UM SUPRIMENTO PARA O MÊS TODO), OU LEIA UM CAPÍTULO DOS EVANGELHOS (MATEUS, MARCOS, LUCAS E JOÃO). ENQUANTO VOCÊ FAZ ISSO, MERGULHE NO AMOR E NAS PROMESSAS QUE DEUS TEM PARA VOCÊ. ISSO LHE PROPORCIONARÁ CRESCIMENTO NA CAMINHADA COM ELE.

- Anote, aqui, quando o desafio de hoje estiver completo.

Como você acha que passar tempo com Deus mudará sua situação e sua perspectiva? Como você pode fazer dEle a parte mais significativa do seu dia?

Abres a tua mão, e satisfazes o desejo de todo o vivente. (Sl 145:16)

"De fato,creio que Deus pode solucionar qualquer situação. O Desafio de Amar está confirmando minha convicção". — Samantha

22º Dia

O Amor é fiel

E eu te desposarei também em fidelidade,
e tu conhecerás ao SENHOR. (Oséias 2:20)

Como cristãos, o amor é a base de toda a nossa identidade. Como filhos de Deus, ele nos chama "amados", o que significa que somos *aqueles* a quem Deus *ama* de forma *incondicional*. Então, o objetivo de nossa vida se constitui em amar a Deus e aos demais.

Quando pediram a Jesus para esclarecer qual era o maior de todos os mandamentos, Ele respondeu, "Amarás o Senhor teu Deus com todo o teu coração, e com toda a tua alma, e com todas as tuas forças, e com toda a tua mente; e o teu próximo como a ti mesmo" (Lc 10:27).

O amor que temos pelo próximo deveria ser o que nos identifica como discípulos de Cristo (Jo 13:35). Essa é a base e o fundamento da nossa existência (Ef 3:17), cujo propósito é expressado com paixão e fervor (1Pe 4:8). É uma qualidade que precisa crescer e transbordar mais e mais (1Ts 3:12), sempre nos aperfeiçoando e sendo reconhecidos por isto.

Então, se fomos criados para compartilhar o amor, o que você faz quando o amor é rejeitado? Como você reage quando a pessoa a quem você dedica sua vida não aceita o amor para o qual você foi chamado.

O relato do profeta Oseias é um dos mais extraordinários da Bíblia. Contrariando toda lógica e conveniência, Deus o instruiu a se casar com uma prostituta. Ele desejava que o casamento de Oseias mostrasse com o que o amor incondicional dos céus por nós se parece. A união de Oseias com Gômer gerou três filhos mas, como esperado, essa mulher que por muito tempo teve uma vida imoral não se contentou em permanecer fiel a um único homem.

Então Oseias se empenhou em lidar com um coração ferido e com a vergonha do abandono.

Ele tinha amado Gômer, mas ela desprezou o seu amor. Eles frutificaram juntos, mas depois ela foi desleal e adúltera, rejeitando-o por cobiça a homens totalmente estranhos.

O tempo passou e Deus falou, novamente, com Oseias. Ordenou que reafirmasse o seu amor pela mulher que, por várias vezes, lhe fora infiel. Dessa vez ela atingiu um nível mais baixo e teve de ser comprada do meio dos escravos, mas Oseias pagou o preço pela redenção dela e a levou de volta para casa. Sim, ela tratou o amor dele com descaso. Ela traiu seu coração. Mas ele a convidou de volta a sua vida, expressando um amor incondicional.

Esta é uma história real, mas foi usada como exemplo do amor de Deus por nós. Ele derrama o seu amor em nós sem medida, apesar de, como recompensa, geralmente, não prestarmos atenção. Às vezes agimos vergonhosamente e consideramos Seu amor intruso, como se Ele estivesse nos privando do que, realmente, queremos. Nós O rejeitamos de várias maneiras – mesmo depois de receber Seu dom da salvação eterna – e, ainda assim, Ele nos ama. Ele permanece fiel.

Mesmo assim, Seu amor não O priva de nos chamar a prestar contas pelo nosso descaso por Ele. Pagamos mais por nossa rejeição do que imaginamos. Mas, ainda assim, Ele escolhe responder com graça e misericórdia. "Em quem temos a redenção pelo seu sangue, o perdão dos pecados, segundo as riquezas da sua graça" (Ef 1:7). Nele temos o modelo do que o amor rejeitado faz. Esse amor permanece fiel.

Jesus nos chamou para esse tipo de amor na passagem conhecida como o Sermão da Montanha. Ele disse, "Mas a vós que ouvis, eu digo: Amai aos vossos inimigos, fazei bem aos que vos odeiam; abençoai os que vos amaldiçoam, e orai pelos que vos maltratam" (Lc 6:27-28).

"Porque, se amardes aos que vos amam, qual é o vosso reconhecimento? Pois os pecadores também amam os que os amam. E se fizerdes bem aos que vos fazem bem, qual é o vosso reconhecimento? Pois os pecadores também fazem o mesmo" (Lc 6:32-33).

"Amai, pois, a vossos inimigos, e fazei bem, e emprestai, sem nada esperardes de volta, e será grande a vossa recompensa, e sereis filhos do Altíssimo; porque ele é bondoso para com os ingratos e para com os maus" (Lc 6:35).

No momento em que estava no altar, você nunca imaginaria que a pessoa com quem você estava se casando poderia se tornar, mais tarde, um tipo de inimigo, daqueles que você precisaria amar como atitude de sacrifício quase total. E com bastante frequência no casamento, o relacionamento realmente chega a esse nível. E, até mesmo, a ponto de traição ou, infelizmente, à infidelidade.

Para muitos esse é prenúncio do desfecho. Alguns reagem, rapidamente, indo em direção a um trágico divórcio. Outros, mais protetores de sua reputação do que de sua própria felicidade, decidem deixar a farsa continuar. Mas eles não têm a intenção de apreciá-la – muito menos de amar um ao outro novamente.

Esse não é o modelo, contudo, do seguidor de Cristo. Se o amor é para ser igual ao dele, é preciso amar mesmo quando o seu amor é rejeitado. E para que o seu amor seja assim, você necessita do amor de Cristo para iniciar.

Você pode dar amor imerecido ao seu cônjuge porque Deus lhe deu esse tipo de amor – repetidamente e continuamente. O amor é, geralmente, mais expressado àqueles que menos merecem.

Peça-Lhe para enchê-lo do amor que só Ele pode prover então, decida dá-lo a seu cônjuge de forma que demonstre a sua gratidão a Deus por amá-lo. Essa é a beleza do amor redimido. Esse é o poder da fidelidade.

DESAFIO DE HOJE

AMAR É UMA ESCOLHA, NÃO UM SENTIMENTO. É UMA AÇÃO INICIAL, NÃO UMA AÇÃO AUTOMÁTICA. HOJE, ESCOLHA ESTAR COMPROMETIDO A AMAR MESMO QUE SEU CÔNJUGE TENHA PERDIDO O INTERESSE EM RECEBER O SEU AMOR. DIGA A ELE, HOJE, EM PALAVRAS SEMELHANTES A ESSAS, "EU AMO VOCÊ E PONTO FINAL. EU ESCOLHO AMAR VOCÊ MESMO SE VOCÊ NÃO ME AMAR EM TROCA".

- Anote, aqui, quando o desafio de hoje estiver completo.

Por que esse tipo de amor é impossível sem o amor de Cristo batendo em seu coração? Como a presença de Deus em você o capacita a amar, mesmo quando não é, inicialmente, recíproco?

Escolhi o caminho da verdade. (Sl 119:30)

"Passaram-se três semanas, e minha esposa está começando a notar a diferença". — Roberto

23º Dia

O Amor sempre protege

[A caridade] sofre todas as coisas. (1 Coríntios 13:7)

Ninguém se casa com um inimigo. O casal diz sim com a esperança de toda uma vida de amor. Mas, a altíssima taxa de divórcio revela que o caminho percorrido após o altar é um caminho minado de obstáculos matrimoniais, que podem acabar matando os cônjuges. Por desventura, todo matrimônio tem inimigos.

Por isso, o amor nos convoca a estar alertas e a proteger o que é mais valioso e precioso para nós, a estar dispostos a dar um passo à frente e pelejar algumas vezes apaixonadamente... para proteger nosso cônjuge e a integridade de nossa união. Muitas coisas podem destruir o relacionamento, a menos que nosso amor coloque a armadura e esteja disposto a brandir a espada para proteger o que é seu.

Apresentamos aqui, como exemplo, alguns possíveis ataques contra os quais é necessário estarmos alertas, para proteger, constantemente, nosso cônjuge e nosso matrimônio. A responsabilidade, e não a passividade, é a chave para proteger-se das seguintes questões:

Influências prejudiciais. Você está permitindo que certos hábitos envenenem sua casa? A internet e a televisão podem ser um acréscimo produtivo e prazeroso à sua vida, mas elas, também, podem trazer elementos destrutivos e privá-lo de momentos preciosos com a sua família. O mesmo vale para as horas de trabalho, que os mantém separados um do outro por preciosas horas.

Você não pode proteger a sua casa se raramente está presente, nem quando está, relativamente, desconectado.

É preciso lutar para manter o equilíbrio. *Prioridades mal colocadas.* Toda coisa boa pode transformar-se em algo danoso se lhe for agregado demasiado valor. Os amigos, os passatempos e os horários de trabalho têm de manter-se em equilíbrio e em seu lugar adequado. Você não pode conquistar seu lugar se quase nunca está ali, ou se está sentindo-se desconectado emocionalmente. Incluindo seus filhos que, sem dúvida, são uma prioridade chave, e devem ser criados sobre um casamento sólido. Quando os pais invertem a situação e priorizam os filhos em lugar do casamento, na realidade a lástima é grande, porque o relacionamento enfraquece. Uma das desculpas mais comuns para o divórcio é que "é o melhor para os filhos". No entanto, o melhor para os filhos é ver pai e mãe demonstrando amor incondicional, cumprindo o que prometeram, resolvendo as diferenças, perdoando e preservando um legado de perseverança.

Relacionamentos interpessoais pouco saudáveis. Nem todos têm o necessário para serem bons amigos. Somente, alguns com quem você caça e pesca falam com prudência a respeito de questões do casamento. Nem todas as mulheres com as quais você almoça têm uma boa perspectiva quanto a compromisso e prioridades. Para dizer a verdade, qualquer pessoa que queira minar seu casamento não tem o direito de sussurrar ao seu ouvido.

Influências daninhas. Você permite que certos hábitos envenenem seu lar? A tecnologia, a televisão e Internet podem ser aquisições produtivas e agradáveis para sua vida, mas, também, podem facilitar a entrada de conteúdo destrutivo e privá-lo de preciosas horas com sua família. Tenha cuidado de não permitir que nada obscureça sua mente e lhe roube tempo.

A tentação sexual. Mantenha-se alerta a todo momento e não permita que o relacionamento com o sexo oposto (no trabalho, na escola e mesmo na igreja) o afastem da pessoa a quem um dia você deu o coração. Cada vez há mais divórcios que surgem do uso indevido das redes sociais. Contemplar fotos de velhos amigos sorridentes pode avivar velhas chamas, confundir seus sentimentos e enganar seu coração para afastá-lo do amor de sua vida e levá-lo a um zona perigosa. Qualquer relacionamento que o distancie, efetivamente, de seu cônjuge terá ido longe demais. A sabedoria insta a proteger-se ainda mais se estiver cercado de pessoas atraentes. É necessário manter a maior distância emocional possível. Por quê? Por amor a seu cônjuge.

A vergonha. Todos sentem algo de inferioridade e debilidade. E como o casamento deixa os fatos descobertos, é necessário que você proteja a vulnerabilidade de seu cônjuge e nunca se dirija a ele em público de forma negativa. Os segredos dele são seus segredos, (a menos que expressem condutas destrutivas que ponham você, seus filhos ou seu esposo(a) em grave perigo). Em termos gerais, o amor esconde as falhas dos outros. Cobre sua vergonha.

Os parasitas. Cuidado com os parasitas. Um parasita é qualquer elemento que se interponha entre você e seu cônjuge e roube a vida de seu casamento. Geralmente, tem a forma de um vício, como os jogos de azar, as drogas e a pornografia. Prometem prazer, mas evoluem como uma doença e consomem mais e mais seus pensamentos, seu tempo e seu dinheiro. Eles roubam sua lealdade e seu coração das pessoas que ama. Os casamentos quase nunca sobrevivem se existem parasitas. Se ama seu cônjuge, deve destruir qualquer vício que controle seu coração. Se não fizer isso, será destruído.

Esposas – vocês têm o papel da proteção em seu casamento. Precisam guardar o seu coração de ser levado por novelas, revistas e outras formas de entretenimento que mancham suas percepções da realidade e fazem com que tenham expectativas falsas a respeito do marido. Ao contrário, devem fazer a sua parte em ajudar o cônjuge a se sentir forte, enquanto, também, evitam pensamentos provenientes de programas de TV que tiram a sua atenção da família. "Toda mulher sábia edifica a sua casa, mas a tola a derruba com suas mãos". (Pv 14:1).

Homens – vocês são o cabeça da casa. Responsáveis diante de Deus por guardem os portões e manterem-se firmes contra tudo o que ameaça as esposas e o casamento. Essa não é uma tarefa simples. Requer corações corajosos e cabeças que pensem de forma preventiva. Jesus disse, "Sabei, porém, que se o dono da casa soubesse a que vigília viria o ladrão, ele vigiaria e não deixaria sua casa ser arrombada" (Mt 24:43). Esses são seus importantes papéis. Leve-os a sério.

DESAFIO DE HOJE

REMOVA QUALQUER COISA QUE ESTEJA ATRAPALHANDO SEU RELACIONAMENTO, QUALQUER VÍCIO OU INFLUÊNCIA QUE ESTEJA SE INFILTRANDO EM SEU AMOR E AFASTANDO SEU CORAÇÃO DO SEU CÔNJUGE.

- Anote, aqui, quando o desafio de hoje estiver completo.

O que você "jogou fora" primeiro? Existem outras coisas que precisam ser eliminadas também? O que você espera como resultado dessa remoção em você, em seu casamento e em seu relacionamento com Deus?

___

___

___

___

___

___

___

___

___

___

___

Se te voltares ao Todo-Poderoso, serás edificado; tu colocarás a iniquidade para longe de teus tabernáculos. (Jó 22:23)

Para encontrar ajuda para lidar com o "parasita" da pornografia, veja o apêndice VII na página 226

24º Dia

Amor vs. Cobiça

E o mundo passa, e a sua concupiscência; mas aquele que faz a vontade de Deus permanece para sempre. (1Jo 2:17)

Adão e Eva tinham tudo o que precisavam para viver no Jardim do Éden. Eles se relacionavam com Deus e tinham intimidade um com o outro. Mas depois de Eva ser enganada pela serpente, ela viu o fruto proibido e colocou o coração nele. Em pouco tempo, Adão se juntou a ela e, indo contra a ordem de Deus, ambos comeram o fruto proibido.

Esse é o processo. Dos olhos ao coração. E em seguida vergonha e arrependimento.

Nós, também, recebemos tudo o que precisamos para ter uma vida plena, produtiva e enriquecida. E Jesus prometeu que essas duas coisas seriam sempre providas para os filhos de Deus (Mt 6:25-33). A Bíblia afirma também que devemos nos contentarmos com essas coisas (1Tm 6:8). Não obstante, as bênçãos de Deus vão muito além de nossas necessidades básicas. Sem medida, nos dispensa Seu amor, Seu Espírito e Sua Palavra.

Ainda assim, tal qual Adão e Eva, queremos mais. Então, colocamos os olhos e o coração na busca do prazer mundano. Intentamos satisfazer necessidades legítimas de modo ilegítimo. Muitos buscam satisfação sexual em outra pessoa ou em imagens pornográficas delineadas para se parecerem com uma pessoa real. Observamos, fixamos os olhos e fantasiamos. Planejamos ser discretos, mas apenas quando não estamos vendo. Uma vez que a curiosidade prende nossos olhos, o coração se envolve. Então atuamos em função de nossa luxúria.

Também podemos ter a ambição por posses, poder ou vaidade. Vemos o que o outro tem e queremos para nós. Nosso coração se engana dizendo, "Eu seria feliz se tivesse isso". Então, tomamos a decisão de perseguir o que cobiçamos.

"Mas os que querem ser ricos caem em tentação, e em laço, e em muitas concupiscências tolas e nocivas, que submergem os homens na destruição e perdição" (1Tm 6:9).

A *cobiça* está em oposição ao amor. Em vez de estar agradecidos pelo que Deus nos tem dado, colocamos o coração em algo que está fora de Sua provisão. A cobiça transforma coisas boas que não temos em objetos de nossa futura felicidade, e os coloca no lugar de Deus. Sendo cristão, esse é o primeiro passo para afastar-se da comunhão com o Senhor. Isso se deve ao fato de que cada objeto de sua cobiça (seja um jovem companheiro de trabalho, uma atriz, uma casa de meio milhão de dólares ou um automóvel esportivo) pode transformar-se em uma obsessão. Em um ídolo.

Cobiça sempre gera mais cobiça. "De onde vêm as guerras e brigas entre vós? Porventura não vêm disto, das concupiscências que guerreiam nos vossos membros?" (Tg 4:1). A cobiça o tornará insatisfeito com o seu marido ou esposa. Ela produz raiva, adormece corações e destrói casamentos. Em lugar de levar à plenitude, a cobiça leva ao vazio.

É hora de expor o que, realmente, é a cobiça – a sede por satisfação que só pode ser preenchida por Deus. A cobiça é como a luz de aviso no painel do seu coração alertando-o para o fato de que você não está permitindo que Deus o preencha. Quando seus olhos e o seu coração estão nele, suas ações o conduzirão a uma alegria duradoura, não a ciclos intermináveis de arrependimento e condenação.

"Conforme o seu divino poder, deu-nos todas as coisas que dizem respeito à vida e à piedade, pelo conhecimento daquele que nos chamou para a glória e virtude. Pelas quais nos são concedidas grandíssimas e preciosas promessas, para que através destas possais ser participantes da natureza divina, havendo escapado da corrupção que há no mundo, através da concupiscência". (2Pe 1:3-4). Deus não pede que você abandone a cobiça e não lhe oferece um substituto que o deixe sem nenhum consolo ou aventura que preencha este vazio. Não lhe nega o prazer, simplesmente, o afasta de situações pecaminosas e que não satisfazem e o conduz aos mais puros e maiores prazeres que se encontram nele e em Sua provisão. Deus quer que você descubra que nada pode lhe satisfazer como Jesus.

Então coloque, novamente, o coração em Deus e participe do banquete de Sua Palavra. Deixe que Suas promessas de paz e liberdade abram espaço em seu coração. Confesse qualquer desejo cobiçoso como pecado, e permita que a culpa e a vergonha que o agoniam sejam substituídas pelo prazer do perdão divino. Dia a dia receba o amor incondicional que ele já tem demonstrado por meio da cruz. Concentre-se em ser agradecido por tudo o que Deus lhe concedeu em vez de dar lugar ao descontentamento.

Você se achará tão completo com o que Deus provê, que não terá mais fome de cobiça.

E quando você estiver na plenitude de Deus, volte seu coração para o seu cônjuge. "Que a tua fonte seja abençoada; e regozija-te com a esposa da tua juventude. Que ela seja como uma corça amorosa e uma cabra agradável; que os seus seios te satisfaçam em todo o tempo, e que tu sejas sempre arrebatado pelo seu amor. E porque, filho meu, te deixarias ser arrebatado por uma mulher estranha e abraçar o seio de uma estrangeira? Porque os caminhos de um homem estão diante dos olhos do SENHOR, e ele pondera todas as suas saídas". (Pv 5:18-21).

"Não ameis o mundo, e nem as coisas que estão no mundo. Se algum homem ama o mundo, o amor do Pai não está nele". (1Jo 2:15). A cobiça é o melhor que este mundo tem para oferecer, mas o amor lhe oferece a melhor vida do mundo.

DESAFIO DE HOJE

ACABE COM A COBIÇA AGORA. IDENTIFIQUE QUALQUER OBJETO DELA EM SUA VIDA E REMOVA-O. REJEITE TODAS AS MENTIRAS EM QUE VOCÊ ACREDITAVA TER PRAZER. A COBIÇA NÃO PODE TER A PERMISSÃO DE FICAR POR PERTO. ELA DEVE SER DESTRUÍDA E EXTERMINADA – HOJE – E SUBSTITUÍDA PELAS PROMESSAS DE DEUS E POR UM CORAÇÃO CHEIO DO SEU PERFEITO AMOR.

- Anote, aqui, quando o desafio de hoje estiver completo.

O que você identificou como uma área de cobiça? Quanto ela lhe custou ao longo do tempo? Como ela o afastou de ser a pessoa que gostaria? Escreva sobre seu novo compromisso de buscar a Deus – e de buscar seu cônjuge – em lugar de procurar desejos tolos.

Como livres, e não usando a liberdade como uma capa para a malícia. (1Pe 2:16)

25º Dia

O Amor perdoa

E a quem perdoardes alguma coisa, eu também perdoo; porque se eu perdoei alguma coisa, a quem perdoei,por causa de vós o perdoei na presença de Cristo. (2 Coríntios 2:10)

Esse é difícil – talvez, o desafio mais difícil deste livro. Mas se seu casamento precisa de esperança, esse é um desafio que precisa ser levado a sério. Conselheiros e ministros que lidam com casais abalados, geralmente, lhe dirão que é o problema mais complexo de todos, uma ruptura que é, geralmente, a última a ser reparada. O perdão não é para ser apenas considerado e contemplado, mas precisa ser, deliberadamente, posto em prática. O perdão precisa acontecer, ou o casamento não terá sucesso.

Jesus pintou uma imagem realista do perdão em Sua parábola do servo impiedoso. Um homem que devia uma enorme quantia em dinheiro, ficou surpreso quando seu senhor ouviu o seu apelo por misericórdia e cancelou toda a dívida. Porém, depois de ter sido liberado dessa enorme dívida, o servo fez algo totalmente inesperado: ele foi até um outro homem que devia a ele uma quantia muito menor e exigiu o pagamento imediatamente. Quando o senhor tomou conhecimento disso, as coisas mudaram, drasticamente, em relação ao acordo com o escravo. "E, indignado, o seu senhor o entregou aos atormentadores, até que ele pagasse tudo o que lhe devia" (Mt 18:34).

Tortura. Prisão. Quando pensamos em falta de perdão, é isso que deve vir a nossa mente, pois Jesus disse, "Assim também meu Pai celeste fará convosco, se de coração não perdoardes cada um as ofensas do seu irmão" (Mt 18:35).

Imagine que você está em uma prisão. Quando olha ao seu redor, avista algumas celas do lugar em que está. Vê pessoas do seu passado encarceradas lá – pessoas que o feriram quando você era criança. Vê pessoas que já chamou de amigo, mas que erraram com você em algum momento da caminhada. Talvez você veja seu pai ou sua mãe, ou quem sabe os dois lá; talvez um irmão ou irmã ou outra pessoa da sua família. Até o seu cônjuge está trancado nas proximidades, imobilizado com todos os outros nessa cadeia feita por você mesmo.

A prisão que vê é uma sala em seu próprio coração. Tal cela escura, fria e depressiva está em você todos os dias. Mas Jesus está de pé, não muito longe de lá, oferecendo uma chave para você que libertará todos os presidiários.

Não. Não quer isso. Essas pessoas o machucaram muito. Eles sabiam o que estavam fazendo e, mesmo assim, decidiram ir em frente – até mesmo seu cônjuge, aquele em quem você mais confiava. Então, você resiste e volta. Não está disposto a permanecer ali por nem mais um minuto – vendo Jesus, vendo a chave em Suas mãos, sabendo o que Ele está lhe pedindo para fazer. É demais para você.

Entretanto, ao tentar escapar você descobre algo assustador. Não há saída. Você se encontra aprisionado com todos os outros cativos. Sua falta de perdão, raiva e amargura fizeram de você um prisioneiro também. Assim como o servo na história de Jesus, que foi perdoado de uma enorme dívida, você escolheu não perdoar e, em razão disso, tem sido entregue aos torturadores e carcereiros. Sua liberdade depende, agora, do seu perdão.

Sempre leva algum tempo para chegarmos a essa conclusão. Vemos todo tipo de perigo e risco no que se refere a perdoar. Por exemplo, o que eles fizeram foi muito errado, admitam eles ou não. Eles nem se sentem arrependidos pelo que fizeram. Eles devem achar que suas ações são, perfeitamente, justificáveis, e chegam a culpá-lo por isso. Mas o perdão não absolve ninguém da culpa. Ele não limpa a "ficha" deles com Deus. O perdão livra você de se preocupar em como irá puni-los. Quando você perdoa uma outra pessoa, você não está apenas tornando-a livre. Você a está entregando a Deus, que é capaz de tratar com ela à Sua maneira. Você está se privando do trabalho de preparar mais argumentos ou de prevalecer na situação. Não há a consequência de ganhar ou perder. Tem a ver com liberdade. Tem a ver com "deixar pra lá".

É por determinada razão que sempre ouvimos pessoas que perdoaram, genuinamente, dizerem, "eu sinto como se um peso fosse retirado dos meus ombros". Sim, é, exatamente, isso. É como uma brisa fresca passando pelo seu coração. O mau cheiro do mofo da cadeia é inundado por luz e serenidade. Pela primeira vez, em muito tempo, você se sente em paz. Você se sente livre.

Mas como você faz isso? Você, simplesmente, entrega a sua raiva e a responsabilidade de julgar essa pessoa ao Senhor. "Amados, não vos vingueis a vós mesmos, mas dai lugar à ira, porque está escrito: A vingança é minha; eu recompensarei, diz o Senhor" (Rm 12:19). Talvez sinta, igualmente, vontade de confrontar a pessoa pelo que fez a você (Mt 18:15), mas o perdão deve ser liberado antes.

Como você sabe que perdoou? Você descobre que perdoou quando no momento que você vê ou pensa na pessoa – ao invés de fazer seu sangue ferver – faz você sentir muito, faz você ter piedade dela, e esperar, sinceramente, que ela mude de atitude.

Sabendo que Deus é juiz sobre todas as coisas, Jesus disse que se tivermos alguma coisa contra alguém, devemos perdoar (Mc 11:25), e *nunca* deixar de fazê-lo (Mt 18:22). A amargura envenena e liquida a vitalidade de qualquer relacionamento. Contudo, casamentos bem sucedidos não são criados por pessoas que nunca magoam uns aos outros, mas por pessoas que decidem "não pensa mal" (1Co 13:5).

DESAFIO DE HOJE

SEJA O QUE FOR QUE VOCÊ AINDA NÃO PERDOOU EM SEU CÔNJUGE, PERDOE HOJE. ESQUEÇA. ASSIM COMO PEDIMOS A DEUS PARA "PERDOAR AS NOSSAS DÍVIDAS" A CADA DIA, DEVEMOS PEDIR A DEUS PARA NOS AJUDAR A "PERDOAR OS NOSSOS DEVEDORES" A CADA DIA TAMBÉM. A FALTA DE PERDÃO TEM MANTIDO VOCÊ E SEU CÔNJUGE NA PRISÃO POR MUITO TEMPO. DIGA DE CORAÇÃO, "EU ESCOLHI PERDOAR".

- Anote, aqui, quando o desafio de hoje estiver completo.

O que você perdoou em seu cônjuge hoje? Por quanto tempo você está carregando esse peso? Quais foram os resultados de entregar esse problema a Deus?

____

____

____

____

____

____

____

____

Então, disse Jesus: Pai, perdoa-lhes, porque eles não sabem o que fazem. (Lc 23:34)

"Perdoamo-nos, mutuamente, e estamos começando outra vez". — Andrea

26º Dia

O Amor é responsável

"Portanto, tu és indesculpável, (...) pois no que tu julgas a outro, a ti mesmo te condenas, pois tu que julgas, fazes as mesmas coisas". (Romanos 2:1)

Deus delineou a dádiva do casamento com muitos benefícios invioláveis. Estudos mostram que as pessoas casadas são mais felizes, saudáveis, vivem mais, ganham mais dinheiro e têm melhor desempenho sexual. Além disso, criam filhos mais saudáveis do que os que não são casados. Você se dá conta do valor que acrescenta seu cônjuge à sua vida?

Porém, como tudo na vida, os benefícios dos quais desfrutamos no casamento dependem de quão responsáveis somos ao cuidarmos do relacionamento. Por isso, a responsabilidade pessoal é um dos requisitos mais importantes do amor. Pouco popular, é certo. Mas é o que determina se um casamento será uma união gloriosa ou um fracasso devastador.

Cada casamento é um jardim vivo, sob o cuidado do esposo e da esposa. Dos dois. Quanto mais responsável você for ao cumprir seus votos, funções e obrigações, mais desfrutarás das numerosas delícias e maravilhas da unidade entre vocês. Porém, quanto menos responsável você se torna, mais dolorosas e polêmicas serão as consequências.

É insensato, por exemplo, que um homem deseje ter filhos saudáveis e uma excelente intimidade no leito, mas não levante um dedo para ajudar sua esposa na casa e na criação dos filhos. É insensato que uma mulher espere ter estabilidade financeira e um matrimônio feliz, mas gaste sem limite e se negue a satisfazer as necessidades sexuais de seu esposo. O amor e a sabedoria nos levam a não descuidarmos de nossas responsabilidades.

O que me diz de você? Como está honrando o que prometeu no altar? Seu casamento prospera sob seu cuidado ou está minguando? Está desejando que seu cônjuge leve todo o peso ou procura maneiras de aliviar a carga dele? O amor nos convoca a sermos, inteiramente, responsáveis por nosso companheiro no casamento. Nos convoca a amá-lo, valorizá-lo e ajudá-lo.

Mas isso não é tudo. O amor nos convoca a sermos responsáveis por algo mais em nosso casamento: nossos próprios erros.

Somos bem rápidos para justificar nossas falhas, rápidos para desviar a crítica, criticar nosso cônjuge, a quem é sempre mais fácil culpar. Em geral, cremos que nossa opinião é a correta e pensamos que, dadas as mesmas circunstâncias, qualquer um teria feito o mesmo em nosso lugar. Mas o amor não culpa o outro nem justifica os equívocos. Não dá desculpas. Ao contrário, enfrenta a realidade no que diz respeito a deficiências e falhas pessoais que precisam ser tratadas.

É por tal razão que, da próxima vez que estiver discutindo com seu cônjuge, em lugar de preparar sua retaliação, pare e veja se existe algo digno de ser ouvido na fala do outro. O que pode acontecer em seu relacionamento se, em lugar de transferir a culpa, você, em primeira instância, admitir seus próprios erros? Como dizem as Escrituras, "repreende o homem sábio, e ele te amará". (Pv 9:8). O amor é sábio e complacente. Está disposto a admitir e corrigir seus erros. A confessar, arrepender-se e mudar. Anseia restaurar o relacionamento. Isso é amor!

Talvez passe um tempo até que se crie em você um coração, verdadeiramente, arrependido. O orgulho resiste à responsabilidade, porém a humildade e a sinceridade diante de Deus e de seu cônjuge são cruciais para um relacionamento saudável. O que não significa que você esteja sempre equivocado, nem que deva martirizar-se, mas se algo está mal entre você e Deus ou entre você e seu cônjuge, ajustar a situação deveria ser prioridade.

Você se responsabiliza por seus próprios erros? Você disse ou fez algo de errado para o seu cônjuge ou para Deus?

"Se dissermos que não temos nenhum pecado, enganamo-nos a nós mesmos, e a verdade não está em nós" (1Jo 1:8).

Contudo, "Se confessarmos os nossos pecados, ele é fiel e justo para nos perdoar os pecados, e nos purificar de toda a injustiça" (1Jo 1:9).

O mesmo ocorre no casamento.

O perdão traz progressos incríveis. Pode derrubar muros de resistência, reconstruir pontes no relacionamento, abrir canais de comunicação e tornar a acender sentimentos de afeto. Ainda que seu cônjuge esteja 90% equivocado, quanto antes você liberar uma desculpa sincera por seus 10%, mais rápido poderá iniciar a saúde e a restauração.

Seu cônjuge pode dizer que você errou ou o feriu de alguma forma e nunca corrigiu seu erro? Um dos papéis de quem tem responsabilidade é admitir quando falha e pedir perdão. É hora de se humilhar, de corrigir suas ofensas e de reparar o prejuízo. *Isso é um ato de amor.* Deus não quer que haja questões não resolvidas entre vocês. Nunca. Peça a Deus que lhe mostre em que tem fracassado em sua responsabilidade e ajuste a situação com Ele primeiro. Quando tiver feito isto, resolva os problemas com seu cônjuge.

Entretanto, para fazê-lo de forma sincera, deve engolir o orgulho e buscar o perdão, sem se importar com a reciprocidade de seu cônjuge. Sua responsabilidade de resolver com valentia seus próprios problemas não deve ser afetada pela resposta amável ou fria de seu cônjuge. Talvez seja o mais difícil que já tenha feito na vida, mas é crítico para dar o próximo passo em seu casamento e com Deus. Se for sincero, talvez se surpreenda com a graça e a fortaleza que o Senhor lhe concede ao dar este passo. O amor sincero sempre nos impulsiona a aceitar nossa responsabilidade.

DESAFIO DE HOJE

SEPARE UM TEMPO PARA ORAR PELAS ÁREAS NAS QUAIS VOCÊ TEM ERRADO. PEÇA O PERDÃO DE DEUS, ENTÃO HUMILHE-SE A PONTO DE ADMITI-LOS AO SEU CÔNJUGE. FAÇA ISSO SINCERAMENTE E VERDADEIRAMENTE. PEÇA PERDÃO AO SEU CÔNJUGE TAMBÉM. NÃO IMPORTA COMO ELE IRÁ RESPONDER, CERTIFIQUE-SE DE TER ASSUMIDO SUA RESPONSABILIDADE EM AMOR.

- Anote, aqui, quando o desafio de hoje estiver completo.

Como seu cônjuge reagiu, quando lhe pediu perdão? O que o seu cônjuge precisa ver para acreditar que sua confissão foi além das palavras?

____

____

____

____

____

____

____

____

Porém, que cada homem prove sua própria obra, e então poderá gloriar-se em si mesmo, e não em outro. (Gl 6:4)

"Se até um ano tivessem me perguntado se queria estar com ela, teria respondido que deixaria o passado para trás. Mas Deus tem me mostrado o que é o amor puro". — Cristian

27º Dia

O Amor encoraja

Ó guarda a minha alma, e livra-me; não deixes que eu seja envergonhado; porque eu ponho minha confiança em ti. (Salmos 25:20)

O casamento tem uma maneira de alterar nossa visão. Criamos expectativas de que o nosso cônjuge preencherá nossas esperanças e nos fará feliz. Mas esse é um pedido impossível para nosso cônjuge atender. Expectativas irreais geram decepções. Quanto maior forem suas expectativas, mais seu cônjuge irá falhar com você e lhe causar frustração.

Se a esposa sempre espera que seu esposo seja pontual, esteja sempre limpo e bem arrumado e entenda todas as suas necessidades, ...se ele sempre espera que ela brilhe radiante, apoie suas decisões às cegas e esteja, emocionalmente, pronta para ter relações sexuais... os dois esposos se preparam para o fracasso diário. O mais provável é que passem a maior parte de suas vidas de casados em constante desilusão. Em vez disso, se for, suficientemente, realista para compreender que o cônjuge é humano, distraído e, às vezes, frágil e desatento, se alegrará quando o outro for responsável, amoroso e amável.

O divórcio é quase inevitável quando as pessoas não permitem que seu cônjuge seja humano. Então, é preciso que haja uma transição em seu pensamento. Você deve escolher viver por *encorajamento* ao invés de viver por *expectativas*. O jeito de ser do seu cônjuge nos últimos dez anos é o jeito que ele será no futuro, exceto por seu encorajamento amoroso e pela intervenção de Deus.

O amor coloca o foco na responsabilidade pessoal e na sua melhora em lugar de exigir mais dos outros.

Jesus descreveu isso, detalhadamente, quando falou sobre a pessoa que viu o "argueiro" no olho do seu irmão mas não notou a "trave" em seu próprio olho.

"Ou como dirás a teu irmão: Deixa-me tirar o cisco do teu olho, e, eis uma viga no teu próprio olho? Hipócrita, tira primeiro a viga do teu olho, e então verás com clareza para tirar o cisco do olho do teu irmão". (Mt 7:4-5).

Seu cônjuge se sente como se convivesse com um inspetor de argueiro? Ele está sempre tenso, temeroso de não atender às expectativas? Ele diria que passa mais tempo sentindo sua reprovação do que sua aceitação?

Quem sabe você responderá dizendo que o problema não é com você, mas com ele. Se ele, realmente, se decepciona em várias outras áreas, por que a culpa é sua? Até onde você sabe, é necessário que os dois façam tudo o que podem para o casamento funcionar bem. Se o seu cônjuge não quer que você seja tão crítico, ele precisa entender que as questões que você levanta são legítimas. Você não está dizendo que é perfeito, de forma alguma, mas que é capaz de dizer o que pensa. Certo?

O problema com este tipo de atitude é que poucas pessoas são capazes de responder à crítica com total objetividade. Quando está claro que alguém está infeliz com você – seja por confronto direto ou por silêncio – é difícil não ficar pessoalmente magoado. Especialmente no casamento.

Apesar de tudo, diferente de qualquer outra amizade, o relacionamento com seu cônjuge começa com os dois fazendo de tudo para agradar um ao outro. Quando vocês namoravam, ele era, completamente, encantado pela sua personalidade. Você quase não cometia erros. O relacionamento de vocês era bem mais fácil. E mesmo que você não esperasse que fosse assim por toda vida, certamente, não o via tão pecador e tão irado com você. Nunca esperou que tal homem ou mulher que prometeu amá-lo pudesse chegar ao ponto de parecer que não o ama.

Quando a esperança recebe uma dose diária de fria realidade, sua reação natural é viver em constante frustração com o outro. E mais, por infortúnio, em vez de conseguir que seu cônjuge queira corrigir sua conduta, a desaprovação só contribui para afastá-lo ou piora a situação.

O amor é sábio demais para agir assim. Em lugar de colocar seu cônjuge em uma posição de rebeldia, o amor o ensina a dar espaço para que seja ele mesmo. Mesmo se você for do tipo que estabelece padrões elevados para si, o amor o convida a não manter seus padrões elevados em relação à atitude do seu cônjuge. Você precisa entender que o casamento é um relacionamento para ser aproveitado e apreciado ao longo do caminho. É a única amizade criada pelo próprio Deus em que duas pessoas imperfeitas vivem juntas, mas tratam com a imperfeição encorajando um ao outro, não desencorajando.

A Bíblia diz, "Fortalecei vós as mãos fracas e firmai os joelhos frágeis" (Is 35:3). "elo que, consolai-vos uns aos outros e edificai-vos uns aos outros, (...) E suplicamos a vós, irmãos, que reconheçais os que trabalham entre vós, e que presidem sobre vós no Senhor, e vos admoestam; e que os tenhais em grande estima em amor, por causa da sua obra. E tende paz entre vós". (1Ts 5:11,14).

Você não deseja que a vida de casado seja o espaço no qual você desfrute a livre expressão de ser quem você é, crescendo em um ambiente seguro que o encoraje, mesmo quando você falha? Seu cônjuge também – e o amor dá a ele esse privilégio. Se a sua esposa ou o seu marido lhe disse mais de uma vez que você o(a) fez sentir abatido(a) e derrotado(a), você precisa levar tais palavras em consideração. Tenha o compromisso de deixar as expectativas irreais o principal aspecto encorajador do seu cônjuge, diariamente. E a pessoa que Deus quer que ele seja começará a surgir com nova confiança e amor por você.

Abandone a ideia de que seu cônjuge compreende tudo o que você pensa, deseja tudo o que você sonha e realizará tudo o que você espera. Por mais que quisesse, não conseguiria.

A menos que sua apreciação por ele o inspire. Que suas orações sinceras e seu elogio sincero o fortaleçam. Concentre-se nos pontos fortes e assinale tudo o que faz bem. Deixe que suas palavras o elevem. Então, essa pessoa que Deus providenciou surgirá com nova confiança e um amor que vai inspirá-lo nos anos que virão.

DESAFIO DE HOJE

ELIMINE, DO SEU LAR, O VENENO DAS EXPECTATIVAS ERRADAS. PENSE EM UMA ÁREA NA QUAL SEU CÔNJUGE TENHA DITO QUE VOCÊ ESTÁ ESPERANDO ALÉM DO QUE PODE LHE OFERECER, E DIGA A ELE QUE VOCÊ ESTÁ ARREPENDIDO POR TER EXIGIDO MUITO DELE. PROMETA QUE VOCÊ PROCURARÁ ENTENDÊ-LO, E O ASSEGURE DE SEU AMOR INCONDICIONAL.

- Anote, aqui, quando o desafio de hoje estiver completo.

O que você descobre a respeito dele ou dela quando coloca em seu cônjuge altas expectativas que ele não está internamente motivado a atingir? Quais são as melhores maneiras de lidar com essas divergências? Mencione algumas coisas que seu cônjuge tenha feito bem ultimamente, pelas quais você pode demonstrar gratidão.

____

____

____

____

____

____

____

E consideremo-nos uns aos outros, para nos estimularmos ao amor e às boas obras.(Hb.10:24). Use esse livro. Leia-o continuamente. É uma sensação incrível voltar a dar amor". — Miguel

28º Dia

O Amor se sacrifica

Porque ele deu a sua vida por nós, e nós devemos dar as nossas vidas pelos irmãos. (1 João 3:16)

A vida pode ser difícil. Mas o que, geralmente, queremos dizer é que a nossa vida pode ser difícil. Somos os primeiros a sentir a dificuldade quando somos maltratados e perturbados. Estamos prontos a nos aborrecer quando somos os que se sentem destituídos ou depreciados. Quando a vida é difícil para nós, percebemos.

Entretanto, com frequência, a única maneira de percebermos que a vida é difícil para nosso cônjuge é quando ele começa a reclamar dela. Então, no lugar do cuidado verdadeiro ou pressa em socorrer, é provável pensarmos que ele teve uma atitude ruim. A dor e a pressão que ele está enfrentando não são sentidas por nós da mesma maneira que sentimos quando é a nossa dor e a nossa pressão. Quando queremos reclamar, esperamos que todos entendam e sintam pena de nós.

Isso não acontece quando o amor está em ação. O amor não reclama pelos sinais óbvios de sofrimentos. Antes das preocupações e problemas começarem a enterrá-lo, o amor já entrou no modo de ação. Ele vê o peso começando a incomodar e intervém para ajudar. É por essa razão que o amor deseja que você seja sensível ao seu cônjuge.

O amor faz sacrifícios. Ele o mantém tão sintonizado com as necessidades do seu cônjuge que, geralmente, você as atende antes mesmo de ser solicitado. E quando você não nota, previamente, e precisa de que seu cônjuge diga o que está acontecendo, o amor age no coração do problema. Mesmo quando a aflição do seu cônjuge se revela por meio de acusações pessoais, o amor demonstra compaixão em lugar de se tornar defensivo. O amoro o inspira a dizer "não" ao que você quer, para dizer "sim" às necessidades do seu cônjuge.

Foi isso o que Jesus fez. "Ele deu a Sua vida por nós" para nos mostrar que "devemos também dar a nossa vida" por outros. Ele nos ensinou que a prova do amor está em reconhecer a necessidade nos outros, e, então, fazer o possível para satisfazê-las. "Porque eu tive fome, e deste-me de comer; eu tive sede, e deste-me de beber; eu era um estrangeiro, e me acolhestes; despido, e me vestistes; eu estava enfermo e me visitastes; eu estive preso, e fostes até mim". (Mt 25:35-36).

Esses são os tipos de necessidades às quais você precisa estar atento em sua esposa ou marido.

Ele sente *"fome"* – precisa de você sexualmente, mesmo quando você não disposto ou disposta?

Ela tem *"sede"* – anseia pelo tempo e pela atenção que você dá a todas as outras pessoas?

Ele parece um "estranho" – inseguro no trabalho, precisando de que o lar seja um refúgio e um santuário?

Ela está *"nua"* – assustada ou envergonhada, desesperada pela proteção da afirmação do seu amor?

Ele se sente "doente" – fisicamente cansado e precisando de que você o afaste das perturbações?

Ela se sente em uma "prisão" – temerosa e deprimida, precisando de alguma segurança e intervenção?

O amor está disposto a sacrificar-se para ver que as necessidades do seu cônjuge têm o seu melhor esforço e foco. Quando sua esposa ou seu marido encontra-se oprimido(a) e sob extrema pressão, o amor o convida a colocar de lado o que é essencial em sua própria vida para ajudar, mesmo se for, simplesmente, a atenção em uma conversa.

Geralmente, ele só precisa falar sobre o problema até que tudo seja acordado. Ele precisa ver em seus olhos atenciosos que você, realmente, se importa com o que isso está custando a ele, e leva a sério o fato de ajudá-lo a encontrar respostas. Ele precisa de que ore com ele sobre o que fazer, e então acompanhe a questão para ver como ela está se resolvendo.

As palavras "Como posso ajudá-lo?" precisam estar na ponta de sua língua.

A solução pode ser simples e fácil de fazer, ou pode ser complexa e custosa, exigindo tempo, energia e muito esforço. Em ambos os casos, você deve fazer o máximo para suprir as verdadeiras necessidades daquele que é parte de quem você é. Afinal de contas, quando você ajuda seu cônjuge, você também está se ajudando. Essa é a parte bela de se sacrificar pelo seu cônjuge. Jesus fez isso por nós e estende a Sua graça para fazermos o mesmo pelos outros.

Quando os cristãos do Novo Testamento começaram a caminhar em amor, a vida de todos eles foi marcada por comunhão e sacrifício. As batidas de seus corações eram para adorar ao Senhor e servir Seu povo. "E todos os que criam estavam juntos e tinham todas as coisas em comum. E vendiam suas propriedades e bens, e repartiam com todos os homens, conforme cada homem necessitava" (At 2:44-45). Como Paulo disse a uma dessas igrejas uma década mais tarde, "E eu muito alegremente gastarei, e me deixarei gastar por vós, se mais abundantemente vos amo, serei menos amado" (2Co 12:15). As vidas que foram ressuscitadas da morte pelo sacrifício de Jesus devem estar prontas e dispostas a se sacrificarem, diariamente, para suprir as necessidades dos outros.

DESAFIO DE HOJE

QUAL É A MAIOR NECESSIDADE DO SEU CÔNJUGE NESSE MOMENTO? EXISTE ALGUMA NECESSIDADE QUE VOCÊ POSSA, SUPRIR, HOJE, POR MEIO DE UM ATO CORAJOSO DE SACRIFÍCIO DA SUA PARTE? INDEPENDENTE DA NECESSIDADE SER GRANDE OU PEQUENA, PROPONHA-SE A FAZER O QUE VOCÊ PUDER PARA SUPRI-LA.

- Anote, aqui, quando o desafio de hoje estiver completo.

Quanto do estresse do seu cônjuge é causado por sua falta de iniciativa ou preocupação? Quando você expressou o desejo de ajudar, como ele recebeu sua atitude? Existem outras necessidades que você pode suprir?

____

____

____

____

____

____

____

____

____

Vinde a mim, todos vós que estais cansados e sobrecarregados, e eu vos darei descanso (Mt 11:28)

"Farei outros quarenta dias, outra vez e mais outra, até que isso tenha se arraigado em meu coração". — Martín

29º DIA

A motivação do Amor

Servindo de boa vontade como ao Senhor e não como aos homens.
(Efésios 6:7)

Não é preciso ter muita experiência para descobrir que o seu cônjuge nem sempre irá motivá-lo. Na realidade, muitas vezes, ele o desmotivará. Com mais frequência do que você gostaria, parecerá difícil encontrar inspiração para demonstrar amor. Talvez ele nem receba seu amor quando você tentar expressá-lo. Essa é, simplesmente, a natureza da vida, mesmo em casamentos saudáveis.

Sem dúvida, ainda que as mudanças de humor e os sentimentos possam criar todo tipo de objetivos motivadores, podemos estar certos de que uma motivação estará sempre no mesmo lugar: quando *Deus* é sua razão para amar, sua capacidade de fazê-lo está garantida... porque o amor vem de Sua parte.

Pense dessa maneira. Quando você era criança, seus pais, certamente, estabeleceram regras para você seguir. Você tinha hora para dormir. Seu quarto tinha de ser mantido limpo. Seu dever de casa precisava ser feito antes de você ir brincar. Se você foi igual à maioria das outras pessoas, você se acostumava com essas regras à medida que as obedecia. E, provavelmente, você não as obedeceria, de modo algum, se não fosse motivado pelas imposições que, uma vez desrespeitadas, traziam consequências sérias.

Mas em algum momento da infância, talvez tenha aprendido o seguinte: – "Filhos, obedecei a vossos pais em todas as coisas, porque isto é agradável ao Senhor" (Cl 3:20). Se você acreditou nisso de todo coração, certamente, você entendeu que não daria satisfação aos seus pais. Isso não representava mais uma batalha de vontades entre você e uma figura de autoridade em carne e osso.

Era, sim, entre você e Deus. Sua mãe e seu pai eram apenas os intermediários. Como se constata, posteriormente, contudo, o relacionamento entre pais e filhos não é a única coisa aprimorada pelo fato de Deus ser sua motivação principal. Considere as seguintes áreas onde agradar a Deus deve ser o seu alvo:

Trabalho. "E, tudo quanto fizerdes, fazei-o de todo o coração, como ao Senhor e não aos homens"(Cl 3:23).

Serviço. "Servos, obedecei em todas as coisas a vossos senhores segundo a carne, não servindo só na aparência, como para agradar aos homens, mas em simplicidade de coração, temendo a Deus" (Cl 3:22).

Tudo. "E, tudo quanto fizerdes, fazei-o de todo o coração, como ao Senhor e não aos homens, sabendo que do Senhor recebereis a recompensa da herança, porque servis a Cristo, o Senhor" (Cl 3:23,24).

Até o casamento. "Esposas, sede submissas a vosso próprio marido, como convém no Senhor" (Cl 3:18). "Maridos, amem suas esposas, assim como também Cristo amou a igreja e a si mesmo se entregou por ela" (Ef 5:25).

O amor que é exigido por você no casamento não depende da gentileza ou conveniência do seu cônjuge. O amor entre o marido e a esposa deve ter um objetivo principal: *honrar ao Senhor com devoção e sinceridade.* Sua função como esposo ou esposa adquire nova dimensão e motivação quando você a vê como um instrumento para expressar seu amor a Deus. Quando agradar ao Senhor se transforma na *razão* por trás *daquilo* que você faz.

A Bíblia afirma que podemos amar a Deus com nossa maneira de tratar, servir e amar aos demais (1Jo 3:17; 4:11-21). Então, cada pensamento, atitude ou ação de amor em seu casamento pode transformar-se em outra maneira de dizer "amo-te" ao Senhor. A bênção que seu cônjuge recebe neste processo é um maravilhoso benefício adicional.

Talvez você acredite que seu casamento ou o amor por seu cônjuge sofreriam ao colocar Deus como centro de seus interesses e prazer. Mas, pelo contrário, tudo florescerá à medida que você se aproxima daquele criou o casamento e que ama o seu cônjuge mais do que você.

Essa mudança de foco e perspectiva é crucial para um cristão. Ser capaz de acordar sabendo que Deus é nossa fonte e provisão – não, somente, das suas necessidades mas, também, das necessidades do seu cônjuge – muda, totalmente, a razão de interagir com ele. Não é mais essa pessoa imperfeita que decide quanto amor você demonstrará, mas sim esse Deus, totalmente, perfeito que pode usar até mesmo uma pessoa imperfeita como você para derramar a bênção do amor em outra pessoa.

O relacionamento com a sua esposa tem tornado cada dia mais difícil? Você está perdendo a paciência com a capacidade dela de sempre discordar de você? Ela não para de fazer isso nem por um instante? Não negue o seu amor só porque ela pensa diferente de você. Ame-a "como o Senhor".

Seu marido está se afastando de você, não compartilhando seus pensamentos e, aparentemente, mergulhando em algo que não quer compartilhar? Você se sente ofendida pela indisposição dele de se abrir? Você está cansada do modo tão breve pelo qual ele a trata, e da maneira como ele atende às necessidades das crianças, deixando, às vezes, a desejar? Não reaja com uma dose dupla de silêncio e desatenção. Ame-o assim mesmo. "Como o Senhor."

O amor motivado por pura obrigação não permanece por muito tempo. E o amor motivado, somente, por condições favoráveis nunca terá a garantia de oxigênio suficiente para manter-se respirando. Somente o amor ofertado a Deus – devolvido a Ele em gratidão por tudo o que tem feito – é capaz de se manter quando todas as outras razões perderem a capacidade de nos estimular.

Aqueles que se sentem bem com casamentos medíocres podem deixar o seu amor para arriscar esperar pelo melhor. Mas se você assume o compromisso de dar ao seu cônjuge o melhor amor possível, você precisa buscar a maior motivação do amor. O amor que tem Deus como foco principal é ilimitado no que se refere ao nível que pode atingir.

DESAFIO DE HOJE

ANTES DE VER SEU CÔNJUGE HOJE, ORE POR ELE E POR SUAS NECESSIDADES. DIGA "EU TE AMO" SENDO FÁCIL PARA VOCÊ OU NÃO. EXPRESSE AMOR DE MANEIRA SENSÍVEL. VOLTE A DEUS EM ORAÇÃO, MAIS UMA VEZ, AGRADECENDO A ELE POR TER LHE DADO O PRIVILÉGIO DE AMAR ESSA PESSOA TÃO ESPECIAL – INCONDICIONALMENTE, ASSIM COMO ELE AMA VOCÊS DOIS.

- Anote, aqui, quando o desafio de hoje estiver completo.

Como essa mudança de perspectiva afeta seu relacionamento e suas motivações? O que isso o inspira a fazer? O que isso o inspira a deixar de fazer?

___

___

___

___

___

___

___

___

___

Porém, quanto a mim e a minha casa, nós serviremos ao SENHOR. (Js 24:15)
"Minha motivação é transformar cada dia em um "dia de desafio". — Javier

30º Dia

O Amor traz unidade

Pai santo, guarda em teu próprio nome aqueles que tu me deste, para que eles sejam um, assim como nós somos. (João 17:11)

Uma das coisas mais importantes a respeito da Bíblia é a maneira como ela está articulada, com temas uniformes em todo seu conteúdo, do início ao fim. Apesar de ter sido escrita num período de 1.600 anos e ter mais de quarenta escritores de várias procedências e níveis de conhecimento, Deus, soberanamente, a escreveu com uma única voz. E Ele continua falando por meio da Bíblia, hoje, sem que a mensagem chegue errada.

Unidade. União. Igualdade.

Essas são as marcas inabaláveis do nosso Deus.

No início dos tempos, vemos a Sua unidade agir através da Trindade – Pai, Filho e Espírito Santo. Deus, o Pai está lá criando o céu e a terra. O Espírito está se "movendo sobre a face das águas" (Gn 1:2). E o Filho, que é "o resplendor de sua glória, e a imagem expressa de sua pessoa" (Hb 1:3), se juntam para falar e trazer a existência ao mundo. "Façamos o homem à nossa imagem, conforme a nossa semelhança" (Gn 1:26).

Façamos. Nossa.

Os três estão em perfeita união de mente e propósito.

Vemos depois Jesus levantando-se das águas do batismo, e o Espírito descendo em forma de pomba e o Pai anunciando nessa cena majestosa, "Este é o meu Filho amado, em quem me comprazo" (Mt 3:17).

Jesus mais tarde diz, "Porque eu desci do céu, não para fazer a minha própria vontade, mas a vontade daquele que me enviou" (Jo 6:38). O Seu desejo de responder às orações dos seus seguidores é "para que o Pai possa ser glorificado no Filho" (Jo 14:13).

Ele pede ao Pai para enviar Seu Santo Espírito, sabendo que o Espírito irá, fielmente, testificar a respeito do Filho que Ele ama, porque "Porque qual dos homens conhece as coisas do homem, senão o espírito do homem que está nele? Assim também nenhum homem conhece as coisas de Deus, senão o Espírito de Deus" (1Co 2:11).

Pai, Filho e Espírito Santo estão em pura unidade. Eles servem um ao outro, amam um ao outro e honram um ao outro. Apesar de iguais, eles se alegram quando o outro é louvado. Apesar de distintos, eles são um, indivisíveis.

E por essa relação ser tão especial – tão representativa da grandeza e do esplendor de Deus – Ele escolheu nos deixar experimentar um aspecto disso. No relacionamento único entre marido e esposa, dois indivíduos distintos estão, espiritualmente, unidos em "uma carne" (Gn 2:24). E "o que Deus uniu, nenhum homem o separe" (Mc 10:9).

Na realidade, esse mistério é tão sério – e o amor entre marido e esposa tão entrelaçado e completo – que Deus utiliza a imagem do casamento para explicar o Seu amor pela igreja.

A Igreja (a noiva) é mais honrada quando o seu Salvador é adorado e celebrado. Cristo (o noivo), o qual entregou a si mesmo por ela, é mais honrado quando ele a vê como "igreja gloriosa, sem mácula, ou ruga, ou coisa semelhante, mas santa e irrepreensível" (Ef 5:27). Ambos, Cristo e a Igreja, amam e honram um ao outro.

Essa é a beleza da unidade.

Marido – O que aconteceria em seu casamento se você se dedicasse em amor, honra e serviço a sua esposa em todas as coisas? O que aconteceria se você determinasse que a preservação da sua unidade com sua mulher é digna de todo o sacrifício e expressão de amor? O que mudaria em seu lar se você tomasse essa abordagem em seu relacionamento como base diária?

Esposa – O que aconteceria se você estabelecesse como missão fazer tudo possível para promover proximidade de coração com seu marido? O que aconteceria se qualquer ameaça à unidade de vocês fosse tratada como veneno, câncer, um inimigo a ser eliminado pelo amor, pela humildade e renúncia? Em que se tornaria o seu casamento se você nunca mais estivesse disposta a ver a unidade de vocês destruída? E se levássemos a sério as palavras do apóstolo Paulo? "Rogo-vos, porém, irmãos, pelo nome de nosso Senhor Jesus Cristo, que digais todos uma mesma coisa, e que não haja divisões entre vós" (1Co 1:10).

A unidade no casamento requer um mesmo parecer. Significa que a comunicação tem de ser constante para desfrutar, sempre, dessa união. Implica no compartilhar de pensamentos, valores, decisões, planos, e entrelaçar suas vidas para manter um só coração, decidir em unanimidade e falar em uma só voz. E quando alguém perturbar essa unidade, os dois farão o que for necessário restaurá-la a fim de que a comunhão retorne.

A essência da Trindade, como é vista através da história e continuará sendo vista no futuro, é evidência do poder da unidade. Ela é inquebrável. Infinita. E essa é a mesma realidade espiritual que se esconde em seu lar e endereço. Apesar de se apresentar em forma de planejamento de trabalho, visitas médicas e idas ao supermercado, a unidade é o laço eterno que percorre as experiências diárias do que você chama de "seu casamento", dando a ele um propósito para ser defendido por toda vida.

Então, ame o outro, esse que é parte do seu corpo tanto quanto você. Sirva a esse cuja necessidade não pode ser separada da sua própria necessidade. Honre quando sobe ao pedestal do seu amor, eleve-o também aos olhos de Deus, tudo ao mesmo tempo.

DESAFIO DE HOJE

SEPARE UMA ÁREA QUE CAUSE DIVISÃO EM SEU CASAMENTO E OLHE PARA ELA, HOJE, COMO UMA OPORTUNIDADE ÚNICA DE ORAR. PEÇA A DEUS PARA REVELAR O QUE HÁ NO SEU CORAÇÃO QUE ESTÁ AMEAÇANDO SUA UNIDADE COM SEU CÔNJUGE. ORE PARA QUE DEUS FAÇA O MESMO COM ELE. E SE FOR APROPRIADO, DISCUTA, ABERTAMENTE, ESSE PROBLEMA, BUSCANDO EM DEUS A UNIDADE.

- Anote, aqui, quando o desafio de hoje estiver completo.

Deus abriu seus olhos para as coisas que podem estar criando um ponto de discórdia? Como você pretende reagir? O que você espera que Deus faça, também, em seu cônjuge?

O SENHOR nosso Deus é o único SENHOR. (Dt 6:4)

"Quero que meus filhos vejam quão maravilhoso é o casamento, se Deus estiver no centro". — Lisa

31º DIA

O Amor e o casamento

Por isso, o homem deixará seu pai e sua mãe e se apegará à sua mulher, e eles serão uma carne. (Gênesis 2:24)

Esse versículo é o modelo original de Deus de como o casamento deve funcionar. Seu padrão específico de "um homem+uma mulher=unidade" foi estabelecido na criação (Gn 2:24), verificado por Jesus (Mc 10:6-9) e esclarecido por Paulo (Ef 5:31).

Ele envolve um rompimento e uma "costura". Ele reconstrói relacionamentos já existentes enquanto estabelece um novo. O casamento modifica tudo.

É por essa razão que casais que não levam a sério esta mensagem de "rompimento" e "apego" sofrerão as consequências ao longo do caminho, quando os problemas são bem mais difíceis de serem solucionados sem ferir alguém.

"Rompimento" significa que você está quebrando um laço natural. Os conselhos de seus pais devem ser respeitados, mas eles não podem mais lhe dizer o que fazer. Às vezes, a dificuldade de agir dessa maneira vem da fonte original. Os pais podem não estar prontos para liberar seu filho do controle e expectativas deles. Seja por causa de dependência em relação à saúde ou de lutas interiores relacionadas ao fato de "esvaziar o ninho", eles, na maioria das vezes não querem compartilhar a responsabilidade que têm. Em casos como esses, o jovem precisa ser corajoso e escolher "romper" por ele mesmo. E, muitas vezes, tal rompimento não é feito da maneira adequada.

Você e seu cônjuge estão vivendo com questões não resolvidas por causa da incapacidade de cortar o cordão umbilical? Seu pai ou sua mãe continua criando problemas dentro do seu lar – talvez sem que eles percebam? O que precisa ser feito para colocar um ponto final nesta situação antes que ela crie uma divisão grande demais em seu casamento?

Unidade é uma qualidade do casamento que precisa ser guardada a todo custo. O propósito do "rompimento", claro, não é perder, totalmente, o contato com o passado, mas preservar a unidade absoluta que o casamento deve ter. Somente em unidade você pode se tornar tudo aquilo que Deus deseja de você.

Se você está, estreitamente, ligado a seus pais, a identidade do seu casamento não terá a capacidade de florescer. Você sempre se achará preso, e uma raiz de divisão continuará lançando novos dardos em seu relacionamento. Às vezes, os vínculos doentios que os pais mantêm com seus filhos refletem questões mal resolvidas. O pai pode achar que lhe devem uma desculpa ou que não foi perdoada uma ofensa. A mãe pode temer que seu filho adulto não sobreviverá sem ela. Talvez os dois sintam-se inseguros ao tentarem se ajustar ao ninho vazio. Quem sabe, simplesmente, desejem que você seja agradecido por tudo o que fizeram ou necessitem de que reafirme seu amor por eles. Qualquer que seja a razão, é prudente que o filho casado convide seus pais para comer ou escreva uma carta bem elaborada para expressar seu amor genuíno, seu apreço e seu agradecimento, junto a palavras de desculpas ou alento, da forma que seja necessária.

Você deve saber que questões como essas não acabarão, a menos que seja feito algo a respeito. A sua lealdade deve passar de seus pais a seu cônjuge. Também devem ser deixados para trás antigos amores e amigos, e concentração em seu parceiro. Tudo mais passa a segundo plano, e assume a distância emocional devida para dar lugar ao florescimento da união. Porque, sem esse "afastamento", não se pode conseguir essa "união" necessária, o apego dos corações, imprescindível para experimentar a unidade.

"Apego" traz a ideia de apegar-se a alguém com insistência, a ideia de reconhecer o cônjuge como sua nova fonte de refúgio e segurança. Esse homem é, agora, o líder espiritual de seu novo lar, encarregado da responsabilidade de amar você "como também

Cristo amou a igreja e a si mesmo se entregou por ela" (Ef 5:25). Essa mulher, agora, é uma em união com você, "esposa reverencie seu marido" (Efésios 5:33). Quanto mais compreenderem para o que são chamados a representar a cada dia, mais aumentará o valor de seu casamento.

Sem dúvida, muitas vezes, os casais (incluindo casais cristãos) pensam que sabem mais que Deus e ignoram o propósito divino para sua união ou os papéis que Ele elaborou. Pôr em prática Gênesis 2:14 parece demasiado estranho ou difícil. É por isso que se conformam com uma maneira mundana de pensar e descuidam do "afastar-se" e "unir-se" os quais Deus elaborou. Dispõem-se a sacrificar a unidade e a resistência do relacionamento mais importante de suas vidas para contentar outros que não fazem parte deste vínculo. Não se dão conta de que quanto mais unificado estiver o casamento, mais felizes e fortes se tornarão para desempenhar todos os demais papéis e responsabilidades da vida.

É difícil – muito difícil, quando a busca pela unidade é basicamente feita por apenas um dos lados. Talvez, no preciso momento, a unidade não interesse ao seu cônjuge e o propósito que Deus imprimiu no DNA do casamento. Ainda que haja algum desejo de sua parte, pode ser que existam problemas entre vocês que estejam longe de serem solucionados.

Não obstante, se você orar e for leal ao outro acima de tudo, protegendo a unidade entre ambos como um tesouro inviolável, o casamento começará a desfrutar da magnificente união a qual Deus ordenou. A intenção de Deus ao torná-los "uma só carne" no casamento foi intencional, bela, eterna, e pode operar milagres.

Rompa. Apegue-se. E arrisque-se a caminhar como uma só carne.

DESAFIO DE HOJE

EXISTE ALGUM "ROMPIMENTO" COM SEUS PAIS OU OUTRA PESSOA, QUE VOCÊ AINDA NÃO TEVE CORAGEM DE REALIZAR? CONFESSE-O AO SEU CÔNJUGE, HOJE, E DECIDA AGIR CORRETAMENTE. A UNIDADE DO SEU CASAMENTO DEPENDE DISSO. SIGA A UNIDADE COM O COMPROMISSO COM SEU CÔNJUGE E COM DEUS DE FAZER DO SEU CASAMENTO O RELACIONAMENTO HUMANO MAIS IMPORTANTE DA SUA VIDA.

- Anote, aqui, quando o desafio de hoje estiver completo.

Esse tem sido um assunto difícil para você? Como isso tem afetado o seu relacionamento? Se o maior ofensor desta área é o seu cônjuge (com seus sogros), como você pode, amorosamente, transformar esse caso em uma situação melhor?

Para que todos sejam um, como tu, ó Pai, estás em mim, e eu em ti. (Jo 17:21)

"Temos aprendido bastante sobre o outro nesses 40 dias. Aprendemos a amar de forma incondicional, a passar tempo juntos, e a crescer espiritualmente como casal". — Paula

32º Dia

O Amor satisfaz as necessidades sexuais

O marido cumpra sua obrigação conjugal para com a sua esposa, e da mesma forma também a mulher ao marido. (1 Coríntios 7:3)

Tanto o Antigo quanto o Novo Testamento elogiam a beleza do amor sexual dentro do contexto do casamento.

Cantares de Salomão, por exemplo, apesar de ser, frequentemente, interpretado de forma incorreta como nada mais que uma alegoria da paixão de Deus por Seu povo é, na verdade, uma linda história de amor. Ele descreve o ato sexual entre o marido e a esposa em detalhes poéticos, mostrando como um corresponde ao outro. Ele expressa como a honestidade e o entendimento em assuntos sexuais levam a uma vida segura de amor.

Em outros escritos, Salomão disse: "Que a tua fonte seja abençoada; e regozija-te com a esposa da tua juventude. Que ela seja como uma corça amorosa e uma cabra agradável; que os seus seios te satisfaçam em todo o tempo, e que tu sejas sempre arrebatado pelo seu amor" (Pv 5:18-19).

Palavras como estas – "abençoada", "regozija-te", "satisfaçam", "arrebatado" – nos recordam de forma vívida que a intimidade sexual é um dos presentes do casamento mais incríveis de Deus, para ser desfrutado de forma plena e habitual pelo casal.

Tudo é motivo para celebrar o que Deus nos tem dado com tanta bondade em dobro: a pureza de estar nu, mas sem constrangimento (Gn 2:25), dentro do pacto de um compromisso pela vida.

Através do prazer da intimidade física, também se fortalece a intimidade conjugal, emocional e espiritual. O amor fiel traduz-se em um deleite inexplicável, que nenhuma outra relação sexual fora do casamento pode proporcionar. Como parte de nossa união matrimonial, o sexo não tem custo, culpa, nem reprovação.

É por isso que Deus, somente, aprova um tipo de relação sexual: um homem e uma mulher casados; e, por isso, colocou limites de proteção com tanto amor. Ao proclamar "seja honroso entre todos, e a cama sem mácula" (Hb 13:4), o Senhor nos proporciona a única maneira de proteger nossa pureza moral (1Co 7:1,2) e nossos corpos físicos (1Co 6:18), de honrar nosso cônjuge com fidelidade (Êx 20:14) e de que nossas experiências sexuais glorifiquem Seu nome (1Co 6:19). Sua intenção não é limitar nosso deleite, mas protegê-lo assim como a nós também.

Sem dúvida, somos fracos. Afeta-nos o passado. Engana-nos a cultura. Oprimem-nos nossos desejos impuros. Em segredo, alguns cristãos veem o sexo no matrimônio como algo sujo ou vergonhoso. Outros são assediados por pensamentos imorais e de adultério do passado. Alguns têm caído na corrente destrutiva da pornografia que alimenta sua luxúria com alternativas humanas e pecaminosas em lugar da experiência da união sexual pura, sem mancha e satisfatória conforme Deus programou. Como resultado, muitos esposos e esposas têm se afastado um do outro emocionalmente e têm permitido que a relação se torne rançosa. Ignoram o outro e negam algo precioso que lhes pertence por direito.

Deus estabeleceu o matrimônio com a mentalidade de "uma só carne". "A esposa não tem poder sobre o seu próprio corpo, mas o marido; e também semelhante, o marido não tem poder sobre seu próprio corpo, mas a esposa" (1Co 7:4). São "um" e pertencem um ao outro. Você é a única pessoa na Terra chamada e designada por Deus para satisfazer as necessidades sexuais de seu cônjuge.

Portanto, "não vos defraudeis um ao outro", adverte a Bíblia, "exceto se com consentimento, por algum tempo, para que se deem ao jejum e oração; e ajuntai-vos novamente, para que Satanás não vos tente pela vossa falta de autocontrole" (1Co 7:5). Se o cônjuge pede a você intimidade sexual, o amor insta a abrir-lhe a porta e recebê-lo. O sexo (ou sua interrupção) não deve ser usado como arma, nem como fator de negociação. A essência do matrimônio é entregarem-se um ao outro para satisfazer as necessidades mútuas.

"Porque fostes comprados por um preço", Deus declarou (1Co 6:20). Ele colocou o Seu amor em você e fez tudo para que você O desejasse. Agora é a sua vez de pagar o preço do amor para ganhar o coração da sua esposa ou do seu marido. A relação sexual é a oportunidade que o Senhor proporciona para praticar o que implica *O desafio de amar*. Porém, na realidade, é mais que isso.

A maior celebração de todos os tempos ocorrerá quando os que conhecem e amam a Jesus Cristo entrarem no céu para estar com Ele para sempre. Será a consumação de nosso pacto de salvação, quando a esposa de Cristo, a Igreja, por fim, estiver com seu Esposo (Ef 5:21-32). Ainda que não seja descrito sobre atividade sexual no céu, Deus nos dá um pequeno adianto da alegria celestial através da consumação física habitual do pacto entre esposos. O prazer temporal que sentimos durante o clímax sexual deveria levar-nos a adorar a Deus, com a esperança e a antecipação de uma alegria maior e mais pura que será nossa para sempre no céu.

Assim, cada vez que se consuma a relação sexual em santidade, lembre-se de que a união com seu cônjuge é uma celebração da intimidade matrimonial, o *gran finale* de amor entre ambos. E, o mais importante, é para a glória de Seu santo Deus. Adore-o com tal unidade pelo que Ele tem feito e pelo prazer infinito que virá de imediato.

DESAFIO DE HOJE

SE POSSÍVEL, RELACIONE-SE, SEXUALMENTE, COM O SEU MARIDO OU COM SUA ESPOSA HOJE. FAÇA ISSO DE MANEIRA QUE HONRE O QUE SEU CÔNJUGE LHE DISSE (OU DEIXOU IMPLÍCITO) A RESPEITO DAS NECESSIDADES DELE EM RELAÇÃO À SEXUALIDADE. PEÇA A DEUS PARA QUE ESSE MOMENTO SEJA AGRADÁVEL PARA OS DOIS E PARA QUE TAMBÉM SEJA UM CAMINHO PARA UMA INTIMIDADE CADA VEZ MAIOR.

- Anote, aqui, quando o desafio de hoje estiver completo.

Essa foi uma experiência satisfatória para você? Se não aconteceu da maneira como você esperava, o que você acha que está dificultando a situação? Você já se comprometeu a levar isso a Deus em oração? Se foi bênção para os dois, o que você pode aprender com isso para o futuro?

"Quão formosa, e quão agradável és, ó amor, para o prazer!" (Ct 7:6)

Para encontrar "Sete passos para uma vida sexual melhor",
ver o Apêndice VIII na página 230.

33º Dia

O Amor completa um ao outro

Também, se dois dormirem juntos, eles se aquecerão; porém como poderá um só se aquecer? (Eclesiastes 4:11)

No final triunfal da criação, Deus realizou o primeiro casamento ao tirar de um homem uma parte e dar forma à mulher. Neste mistério do casamento, duas pessoas podem unir-se e tornar-se uma. Apesar de Adão estar completo em Deus, descobriu que as necessidades que o Senhor despertara nele se satisfaziam melhor com Eva, seu complemento para a vida. Isso, também, é certo em seu casamento. Ainda que, se for necessário, o amor esteja disposto a atuar de forma independente, será sempre melhor se não tiver de seguir carreira solo.

Nosso corpo é feito um para o outro. Nossa natureza e temperamentos fornecem equilíbrio, nos capacitando a cumprir nossas tarefas de forma mais eficiente. A nossa união pode gerar filhos, e o nosso trabalho em equipe pode conduzi-los melhor a uma vida saudável e à maturidade. Onde um é fraco, o outro é forte. Quando um precisa construir algo, o outro está preparado para ajudar e encorajar. Multiplicamos a alegria um do outro e dividimos nossas tristezas.

A Bíblia diz, "Melhor é serem dois do que um, porque têm melhor recompensa por seu trabalho. Porque se eles caírem, um levantará o seu companheiro; mas ai do que estiver só quando cair, porquanto não haverá outro que o levante" (Ec 4:9-10). É como as suas mãos, que não apenas vivem juntas, mas multiplicam a eficiência uma da outra. Com o objetivo de fazerem o que fazem, nenhuma das duas é, totalmente, completa sem a outra.

Antes de seu nascimento, o Senhor já sabia com quem você se casaria. E, ao elaborar suas diferenças de gênero, personalidade, ordem de nascimento, origem familiar e singularidade, criou de forma intencional necessidades em ambos e os projetou com a capacidade de supri-las mutuamente. Ainda que essas diferenças possam ser fonte de mal-entendidos e conflitos, têm sido criadas por Deus e podem ser bênçãos constantes se as respeitarmos.

Sem dúvida, alguns parecem não poder superar tais diferenças. Não as toleram, e como resultado, perdem muitas oportunidades. Não aproveitam a singularidade que faz com que cada um seja mais eficaz quando inclui o outro.

Um exemplo da Bíblia a esse respeito é Pôncio Pilatos, o governador romano que presidiu o julgamento de Jesus. Sem ter ciência de quem era Cristo e contrariando a sua própria opinião, ele permitiu que a multidão o influenciasse a condenar e crucificar Jesus.

Porém, a única pessoa que estava mais sensível ao que estava acontecendo era a esposa de Pilatos, que chegou a ele no auge do alvoroço e o advertiu de que estava cometendo um erro. "E, estando ele assentado no tribunal, sua esposa mandou-lhe dizer: Não te envolvas na questão desse justo, porque eu muito sofri hoje em sonho por causa dele" (Mt 27:19).

Ela era, aparentemente, uma mulher de discernimento apurado que captou a magnitude desses eventos antes de seu marido. Certamente, a soberania de Deus estava em ação, e nada teria livrado Seu Filho de ir, obedientemente, à cruz por nós. Contudo, a rejeição de Pilatos à intuição de sua esposa revela um lado infeliz da natureza do homem que é, constantemente, ocultado. Deus fez as esposas para completarem seus maridos, e Ele muitas vezes dá a elas um discernimento que seu marido não tem. Se esse discernimento é ignorado, a decisão do homem, na maioria das vezes, causa problemas.

Quando Deus contemplou Adão e disse: "farei uma ajudadora adequada para ele" (Gn 2:18), o Criador sabia o que estava fazendo. Era consciente de que os homens necessitam ajuda. Intentam funcionar sozinhos, mas, muitas vezes, fracassam. Então, o título de "adjutora" que a esposa é para o marido é um complemento importante, não uma etiqueta de segunda classe, nem uma crítica. E mais, a Bíblia fala do mesmo Deus como nossa ajuda (Sl 124:8). Jesus referiu-se ao consolo ou ajuda do Espírito Santo (Jo 14:26). Um homem que tem uma esposa disposta a ajudá-lo a cumprir o plano de Deus para sua vida tem um tesouro incalculável.

O casamento é uma das maneiras únicas de Deus para nos demonstrar que não somos autossuficientes, que a efetividade de nosso vínculo depende de que os dois trabalhemos juntos. Você vai tomar decisões importantes quanto às finanças ou aos planos de aposentadoria? Não sabe como atuar, corretamente, no que diz respeito a uma situação de trabalho? Está, totalmente, convencido de que as decisões educativas para seus filhos estão adequadas, sem se importar com o que pensa seu cônjuge?

Não tente analisar tudo por você mesmo. Não desqualifique o direito dele de opinar em questões que dizem respeito a ambos. O amor entende que Deus uniu vocês com um propósito. E mesmo que você acabe discordando das perspectivas do seu cônjuge, ainda assim você deve respeitar e levar em consideração a visão dele. Dessa forma, honra o plano de Deus para seu relacionamento e protege a unidade que Ele intenciona.

Juntos, vocês são melhores. Vocês precisam um do outro. Vocês se completam.

DESAFIO DE HOJE

RECONHEÇA QUE O SEU CÔNJUGE É ESSENCIAL PARA UM FUTURO DE SUCESSO. FAÇA-O SABER, HOJE, QUE VOCÊ DESEJA INCLUÍ-LO EM SUAS PRÓXIMAS DECISÕES, E QUE VOCÊ PRECISA DO SEU CONSELHO E PONTO DE VISTA. SE VOCÊ IGNOROU AS IDEIAS DELE NO PASSADO, ADMITA SEU DESCUIDO E PEÇA-O PARA PERDOÁ-LO.

- Anote, aqui, quando o desafio de hoje estiver completo.

O que respondeu seu cônjuge? Quais as próximas decisões que podem tomar juntos? O que aprendeu hoje sobre o papel de seu cônjuge?

___

___

___

___

___

___

___

___

___

E, sobre todas estas coisas, revesti-vos de caridade, que é o vínculo da perfeição. (Cl 3:14)

"Sinto que, agora, estamos mais 'apaixonados', mais que simplesmente comprometidos". — Alícia

34º Dia

O Amor celebra a Deus

A caridade não se regojiza com a iniquidade, mas regozija com a verdade. (1 Coríntios 13:6)

Quanto mais você e seu cônjuge se aproximam de Deus, mais amor haverá no casamento (Jo 13:34,35). Nossa função como esposo ou esposa melhora muitíssimo quando crescemos como cristãos. As pessoas que não confiam em Deus têm limitações importantes e dependem de seus próprios sentimentos oscilantes, de sua forma de pensar egoísta e de seus esforços humanos. Mas, *junto* ao Senhor, temos acesso diário a Sua caixa de ferramentas para o casamento. Sua palavra nos sustenta, espiritualmente, e nos capacita (2Tm 3:17). Seu conselho guia nossos pensamentos e decisões com sabedoria (Tg 1:5). Seu Espírito Santo opera para melhorar nossas atitudes e nos ajudar a amadurecer (Gl 5:22-25). Seu amor boicota cada ato de ódio, cada engano sutil e cada plano infiel.

Porém, nesses dias nós que, como cristãos, nos negamos a depender de Deus em oração, a caminhar em Seu amor e a obedecer Seus mandamentos, minguamos espiritualmente. O orgulho e egoísmo podem começar a nos dominar. A repulsa, a impaciência e a desconsideração podem tornar-se reação habitual. Então, nosso cônjuge e nossa família têm de aguentar as consequências.

Caminhar em comunhão com Deus é melhor que mil livros sobre casamento ou sessões de terapia, por mais úteis que sejam estes recursos. Os homens que caminham com Deus a cada dia não enganam nem degradam suas esposas. Quando o Senhor guia a boca de uma mulher, ela anima sua família em vez de queixar-se ou criticar. Em poucas palavras, uma das prioridades para o casamento deveria ser cultivar, diariamente, seu relacionamento com Deus, enquanto celebra o crescimento espiritual de seu cônjuge.

O que a orgulha mais em seu esposo? O que faz você explodir de alegria com relação a sua esposa? Você se orgulha quando ele volta para casa com um troféu de golfe ou quando ela encontra uma grande oferta no centro comercial? Ou se assombra mais quando seu esposo reúne a família para orarem juntos e ler a Palavra ou quando sua esposa perdoa ao vizinho cujo cão desenterrou suas plantas? É uma das pessoas com mais influência na vida de seu cônjuge. Ele quererá agradar à pessoa que mais o elogia. Tem usado sua influência para guiar seu esposo ou esposa a honrar a Deus?

O amor se regozija mais nas coisas que agradam a Deus. Quando seu cônjuge cresce no caráter cristão, persevera na fé, busca a pureza, dá e serve com alegria (torna-se responsável no âmbito espiritual dentro do lar), a Bíblia diz que deveríamos celebrá-lo. Mais do que quando arranja dinheiro ou consegue boas ofertas. Mais do que quando prospera em seu trabalho.

Para uma mulher, deveria ser comovente ver seu esposo valente humilhar-se diante de Deus. Um homem deveria sentir-se inspirado ao ver que sua esposa experimenta convicção e paixões espirituais profundas. Deveria alegrar-se, estar, altamente, emocionado e animar seu cônjuge com entusiasmo pelo que está permitindo que Deus promova em sua vida.

O apóstolo Paulo, que ajudou a estabelecer e cuidar de muitas igrejas do primeiro século, escreveu em suas cartas o quão alegre ele estava em ouvir relatos da fé e do crescimento das pessoas em Jesus. "Irmãos, como é de razão, porque a vossa fé cresce muitíssimo, e a caridade de cada um de vós aumenta de uns para com os outros, de maneira que nós mesmos nos gloriamos de vós nas igrejas de Deus, por causa da vossa paciência e fé, em todas as vossas perseguições e tribulações que suportais" (2Ts 1:4).

Às vezes, ao aceitar a opinião da cultura moderna sobre o que celebrar de nosso cônjuge, podemos ser culpados de levá-lo a pecar, talvez alimentando a vaidade ou as atitudes machistas. Sem dúvida, "o amor não se regozija com a injustiça", nem a nossa, nem a do outro. Ao contrário, "se alegra com a verdade", da mesma forma fez o apóstolo João ao afirmar: "Não tenho maior alegria do que a de ouvir que os meus filhos andam na verdade" (3Jo 1:4). Saiba que a busca da piedade, da pureza e da fidelidade (permanecer firme e sem transgressões) são a única maneira de agradar a Deus, cumprir seu propósito, e sentir alegria e satisfação na vida.

Porém, o que pode acontecer se seu cônjuge não for crente? Como você pode defender uma conduta piedosa se o seu cônjuge não crê em Deus e não quer se submeter à Sua vontade? Paulo instruiu os crentes a serem fiéis a seus cônjuges incrédulos, a orar por eles e a ser exemplo para eles em reverência a Deus (1Co 7:10-16). É certo que esse posicionamento pode gerar chacota em alguns casamentos. Mas, quando Cristo ocupa o coração de um homem, a mudança de vida duradoura e a transformação espiritual que Deus produz nele é um testemunho poderoso e difícil de negar. A Escritura exorta as esposas a exercerem a submissão, a pureza, e conduta respeitosa para ganharem seus maridos (1Pe 3:1,2). Às vezes, talvez você sinta que está, somente, impedindo seu cônjuge de ver Jesus em você. Continue orando, seja respeitoso e amoroso. Deus não terminou a obra em seu cônjuge. Ele tem colocado uma testemunha de Sua causa ali, em seu leito matrimonial.

E o que mais podemos desejar para nossa esposa ou marido do que eles experimentarem o melhor de Deus para suas vidas?

Alegre-se pelos sucessos que seu cônjuge conquista. Mas guarde sua maior alegria para os momentos em que eles honrarem a Deus com adoração e obediência.

DESAFIO DE HOJE

ENCONTRE UM EXEMPLO ESPECÍFICO E RECENTE DE QUANDO SEU CÔNJUGE DEMONSTROU O CARÁTER CRISTÃO DE FORMA NOTÁVEL. (COM FÉ, AMOR, HONESTIDADE, PACIÊNCIA, AMABILIDADE, SERVIÇO, COMPAIXÃO, HUMILDADE ETC.). ELOGIE-O VERBALMENTE POR ISSO EM ALGUM MOMENTO DO DIA.

- Anote, aqui, quando o desafio de hoje estiver completo.

Qual o exemplo que você escolheu reconhecer? De que outras formas você pode celebrar o crescimento de seu cônjuge no ato da compaixão? Como você pode encorajá-lo a perseverar nela?

Comportar-me-ei sabiamente no caminho perfeito. Oh, quando virás a mim? Andarei em minha casa com um coração perfeito. (Sl 101:2)

"Onde estaria sem esse livro e sem a maneira como Deus tem operado com tais desafios a cada dia?" — Linda

35º Dia

O Amor presta contas

Quando não há conselhos os planos se dispersam, mas na multidão de conselheiros eles são estabelecidos. (Provérbios 15:22)

As poderosas sequoias elevam-se a uma altura de até cem metros no ar e podem resistir a pressões ambientais intensas. Os relâmpagos podem atacá-las, ventos violentos podem soprar e os incêndios das florestas podem se alastrar ao redor delas. Mas a sequoia resiste, permanecendo firme, tornando-se cada vez mais firme a cada provação.

Um dos segredos da força dessas árvores gigantes está abaixo da superfície. Ao contrário de muitas árvores, ela se estende e interliga suas raízes com as sequoias ao seu redor. Ela se torna mais fortalecida e resistente pela força das outras.

O segredo da sequoia é, também, a chave para manter um casamento forte e saudável. O casal que enfrenta os problemas sozinho está mais sujeito a se separar durante os tempos difíceis. Todavia, aqueles que interligam suas vidas em uma rede de outros casamentos fortificados, aumentam, radicalmente, as chances de sobreviver às tempestades violentas. É fundamental que o marido e a esposa tenham conselhos divinos, amizades saudáveis e conselheiros experientes.

Todos precisam de conselhos sábios no decorrer da vida. As pessoas sábias, constantemente, os buscam e os recebem com gratidão. Os tolos nunca pedem conselho e quando alguém os aconselha, é ignorado por eles.

Como a Bíblia claramente explica, "O caminho do tolo é reto para os seus próprios olhos, mas o que ouve o conselho é sábio" (Pv 12:15).

Adquirir conselhos sábios é como ter o mapa detalhado de uma trilha e um guia pessoal enquanto faz uma viagem longa e desafiadora.

Pode ser a diferença entre o sucesso contínuo e a destruição de outro casamento. É fundamental que você convide casais fortalecidos para compartilharem a sabedoria que eles adquiriram ao longo de seus sucessos e fracassos.

Por que gastar anos da sua vida aprendendo lições dolorosas quando você pode descobrir essas mesmas verdades em poucas horas de aconselhamento? Por que não cruzar a ponte que outros construíram? A sabedoria é mais valiosa que o ouro. Não recebê-la é como deixar que moedas valiosas escorreguem pelos seus dedos.

Bons conselheiros para casais o alertam antes de você tomar uma decisão ruim. Eles o encorajam quando você está quase desistindo. E eles o incentivam quando você alcança novos níveis de intimidade em seu casamento.

Você precisa de um casal mais experiente ou um amigo do mesmo sexo a quem possa recorrer para obter bons conselhos, suporte em oração e até mesmo prestar contas, regularmente, dos seus atos? Você tem alguém que fale, honestamente, com você?

Você e seu cônjuge precisam desse tipo de amigos e conselheiros de base consistente. A Bíblia diz, "Exortai-vos uns aos outros diariamente, enquanto o dia ainda se chama Hoje, para que nenhum de vós se endureça através do engano do pecado" (Hb 3:13). É comum nos isolarmos dos outros. Se não tomarmos cuidado, podemos afastar as pessoas que mais nos amam.

Você precisa se guardar das más influências. Todo mundo tem uma opinião e algumas pessoas vão encorajá-lo a agir de forma egoísta e até a deixar o seu cônjuge para ter a sua própria felicidade. Seja cauteloso ao ouvir conselhos de pessoas que não possuem um bom casamento.

Se o seu casamento está se enforcando ou se ele já está direcionado ao divórcio, então você precisa parar tudo e buscar conselho sólido o mais rápido possível.

Busque um pastor, um conselheiro cristão ou um aconselhamento para casais ainda hoje. Por mais que, a princípio, pareça estranho falar da sua vida para alguém que você não conhece, seu casamento merece cada segundo gasto e cada sacrifício que você fará por ele. Mesmo que o seu casamento esteja firme, ainda assim, você precisa, da mesma forma, de conselheiros honestos e abertos – pessoas que podem incentivá-lo e fazer do seu casamento uma aliança ainda melhor.

Como encontrar um bom conselheiro? Você deve procurar por uma pessoa que tenha o tipo de casamento que você gostaria de ter. Você deve procurar por uma pessoa cujo coração seja direcionado para Cristo antes de todas as outras coisas. Procure alguém que não vive por suas próprias opiniões, mas pela imutável Palavra de Deus. E, cada vez, mais essa pessoa vai se sentir alegre em poder ajudar. Então, separe um tempo para se encontrarem e conversarem.

Se isso não soa tão importante para você, seria uma excelente ideia se perguntar por quê. Você tem algo a esconder? Está com medo de se sentir envergonhado? Você acha que o seu casamento não precisa de ajuda exterior? Mergulhar em um rio de influências positivas não o atrai? Não seja o capitão de outro "divórcio Titanic" por ignorar os sinais de alerta ao seu redor, quando você poderia ter sido ajudado.

Aqui, está uma importante lembrança das escrituras: "Assim, então, cada um de nós dará conta de si mesmo a Deus" (Rm 14:12). Esse acordo é inviolável. E apesar de sermos todos, essencialmente, responsáveis pela maneira como lidamos com isso, podemos, certamente, aceitar toda a ajuda que os outros podem nos dar. Pode ser apenas uma questão de influência que transporta o seu casamento da mediocridade para a excelência.

DESAFIO DE HOJE

BUSQUE UM CONSELHEIRO PARA CASAIS – ALGUÉM QUE SEJA UM CRISTÃO FIRME E QUE SERÁ HONESTO E AMOROSO. SE VOCÊ SENTE QUE O ACONSELHAMENTO É NECESSÁRIO, ENTÃO DÊ O PRIMEIRO PASSO PARA MARCAR O PRIMEIRO ENCONTRO. DURANTE ESSE PROCESSO, PEÇA A DEUS PARA DIRECIONAR SUAS DECISÕES E DISCERNIMENTO.

- Anote, aqui, quando o desafio de hoje estiver completo.

Quem você escolheu? Por que você elegeu essa pessoa? O que espera aprender com ela?

____

____

____

____

____

____

____

____

____

____

____

____

____

____

____

____

____

____

Onde não há conselho, o povo cai, mas na multidão de conselhos há segurança. (Pv 11:14)

"Eu dizia: 'É impossível remendar o que já está poído', mas Deus tem purificado tudo o que contamina nosso casamento". — Suzana

36º Dia

O Amor é a Palavra de Deus

Tua palavra é uma lâmpada para os meus pés,
e luz para o meu caminho. (Salmos 119:105)

A Bíblia é o livro mais amado e poderoso de todos os tempos. Foi o primeiro a ser publicado, é traduzido em mais idiomas que qualquer outro na história e continua sendo o maior fenômeno de venda. Nenhum outro tem iluminado tanta escuridão, eliminado tanta ignorância, propagado tanto amor, corrigido tanto mal e antecipado o futuro com tanta precisão como a Bíblia. Não só explica nossa origem e propósito para a vida, assim como, também, podemos conhecer a Deus aqui, e na eternidade, além do túmulo.

Para algumas pessoas, a Bíblia parece ser grande demais para ser compreendida. É como se fosse uma tarefa impossível. Elas não sabem por onde nem como começar. Mas, como cristãos, não somos deixados sozinhos na compreensão dos maiores temas e dos significados mais profundos da Bíblia. O Espírito Santo, que agora habita em seu coração através da salvação, é o iluminador da verdade. "O Espírito busca todas as coisas, sim, as coisas profundas de Deus" (1Co 2:10). E em razão da Sua luz interior, a Bíblia agora é para ser lida, absorvida, compreendida e vivida.

Contudo, em primeiro lugar você precisa comprometer-se a fazer o seguinte.

Crie hábito. Se esse ainda não é um hábito seu, agora é a hora de começar a ler uma parte da Bíblia todos os dias. O ideal é lê-la junto com sua esposa ou com seu marido – na parte da manhã, talvez, ou antes de dormir. Seja como o autor do Salmo 119, que disse: "Tua palavra eu tenho escondida no meu coração, para eu não pecar contra ti" (Sl 119:11).

Aqueles que praticam um padrão de leitura consistente da Bíblia logo descobrem que ela é "Mais desejados são eles do que o ouro, sim, do que muito ouro fino; e também mais doces do que o mel e o favo" (Sl 19:10).

Submeta-se. Você tem razão, a Bíblia pode ser profunda e desafiadora. É por isto que é importante fazer parte de uma igreja onde a Palavra é ensinada e pregada fielmente. Ao ouvi-la explicada em sermões e classes de estudos bíblicos, você obterá uma visão mais ampla e equilibrada do que Deus está dizendo através da Sua Palavra. Você também estará junto de outros que estão no mesmo caminho que você está, desejando ser alimentado pelas verdades das Escrituras. "Tu, porém, permanece nas coisas que aprendeste e de que foste assegurado, sabendo de quem as tens aprendido" (2Tm 3:14).

Viva-a. Diferente da maioria dos outros livros, que são designados apenas para serem lidos e digeridos, a Bíblia é um livro *vivo*. Ela é viva porque o Espírito Santo ainda habita nas suas palavras. Ela é viva porque, ao contrário dos antigos manuscritos das outras religiões, o Seu autor está vivo. E ela é viva porque ela se torna parte de quem você é, de como você pensa e do que você faz. "E sede cumpridores da palavra, e não ouvintes apenas, enganando-vos a vós mesmos" (Tg 1:22).

Jesus falou a respeito das pessoas que constroem a fundação da vida na areia – na sua própria lógica, nos seus melhores palpites, no pensamento mais recente. Quando as tempestades da vida começam a soprar (e sempre soprarão), as fundações na areia resultarão apenas em desastre total. A casa pode parecer firme e agradável, por um momento, mas está só esperando que uma tragédia aconteça. Em algum momento a construção cairá.

Mas Jesus disse, "Todo aquele, pois, que escuta estas minhas palavras e as pratica, assemelhá-lo-ei ao homem sábio, que construiu a sua casa sobre a rocha. E desceu a chuva, vieram as inundações, e sopraram os ventos e golpearam contra aquela casa, mas ela não caiu, porque estava fundada sobre a rocha" (Mt 7:24-25) Quando a sua casa é fundada na rocha da imutável Palavra de Deus, ela não é assolada pela destruição.

Isso acontece porque Deus tem um plano certo para tudo e Ele revela esses planos em Sua Palavra. Eles estão lá para aqueles que os lerem e os aplicarem.

Deus tem um plano sobre como você lida com o seu dinheiro, um plano sobre como você cria seus filhos, um plano sobre como você cuida do seu corpo, um plano sobre como você usa o seu tempo e um plano sobre como você lida com os conflitos. Não é como se seu fabricante soubesse, exatamente, do que você precisa?

Se para você ler a Bíblia, regularmente, é algo novo, você ficará surpreso com a rápida mudança que seus pensamentos sofrerão, tornando-se diferentes e eternos. E se você tiver seriedade ao estabelecer estratégias para sua vida baseadas na maneira de Deus de fazer as coisas, Ele o guiará a fazer conexões entre o que você está lendo e a sua vida. Ela é uma jornada esclarecedora com descobertas a serem feitas a todo tempo. Você descobrirá os segredos para manejar com sabedoria toda classe de situações na vida. As verdades mais importantes de *O Desafio de amar* surgiram a partir da leitura da Palavra de Deus.

Com o passar do tempo, os princípios de Deus crescerão mais fortes e mais eternos, em cada aspecto da sua vida que você submeter à Bíblia. Mas tudo aquilo que você recusar entregar a Deus, escolhendo fazer as coisas à sua própria maneira, irá enfraquecer e, certamente, fracassar quando as tempestades da vida o atacarem. Essa deve ser, de fato, a única área que precederá a queda do seu casamento e do seu lar.

Cada aspecto de sua vida, submetido à direção e sabedoria divinas se fortalecerá e se tornará mais duradouro com o tempo. Mas, qualquer parte que não seja entregue, ao pretender executá-la por sua conta, se enfraquecerá e verá o grande fracasso ao ser golpeado pelas tormentas da vida. Pode ser a área que acelerará o desmoronamento do seu lar e do seu casamento. Que Deus o ajude a confiar em Sua Palavra por completo, ainda que não entendas totalmente. Não falhará.

Casais sábios constroem sua casa na rocha que é a Palavra de Deus. Eles têm visto o que a areia pode fazer. Eles sabem como é quando os pés ficam vacilantes e o chão se vai. É por essa razão que você precisa decidir construir sua vida e seu casamento na rocha sólida que é a Bíblia, e então você pode planejar um futuro mais forte – não importando quão fortes sejam as tempestades.

DESAFIO DE HOJE

TENHA O COMPROMISSO DE LER A BÍBLIA TODOS OS DIAS. ENCONTRE UM LIVRO DEVOCIONAL OU OUTRA FONTE QUE LHE SERVIRÁ COMO GUIA. SE SEU CÔNJUGE ESTÁ ABERTO A ISSO, VEJA SE ELE SE COMPROMETERÁ A LER A BÍBLIA, DIARIAMENTE, COM VOCÊ. INICIE SUBMETENDO CADA ÁREA DA SUA VIDA À DIREÇÃO DA PALAVRA DE DEUS E COMECE A CONSTRUIR A SUA VIDA E SEU CASAMENTO NA ROCHA.

- Anote, aqui, quando o desafio de hoje estiver completo.

Qual área da sua vida mais precisa do conselho de Deus? Onde você sente que é mais suscetível a falhar? O que você está pedindo para Deus lhe mostrar através da Sua Palavra?

____

____

____

____

____

____

____

Para uma maneira de se familiarizar com a Bíblia, *veja o Apêndice IX da página 233.*

Porque todas as coisas que foram escritas anteriormente, para nosso ensino foram escritas. (Rm 15:4)

37º Dia

O Amor concorda em oração

"Ainda eu vos digo que, se dois de vós concordarem na terra acerca de qualquer coisa que pedirem, isso lhes será feito por meu Pai que está no céu". (Mateus 18:19)

Se alguém lhe dissesse que mudando apenas um aspecto do seu casamento você teria quase que cem por cento de garantia de que a vida de vocês como casal melhoraria, significativamente, você, no mínimo, gostaria de saber que aspecto é esse. Para muitos casais cristãos esse "aspecto" é a prática diária de *orarem juntos*.

Para alguém que tende a desvalorizar questões espirituais, soa bastante ridículo. E se você dissesse para ele que orar junto é um ingrediente chave para a longevidade matrimonial e para o aumento da intimidade sexual, ele pensaria que você realmente está exagerando. Mas a unidade que cresce entre um homem e uma mulher que, regularmente, oram juntos cria uma conexão intensa e poderosa. Dentro do santuário do seu casamento, orar junto pode operar maravilhas em todos os níveis do seu relacionamento. Quando os esposos falam juntos com Deus, algo maravilhoso acontece. Jesus disse, por exemplo: "Ainda eu vos digo que, se dois de vós concordarem na terra acerca de qualquer coisa que pedirem, isso lhes será feito (...) Porque, onde estiverem dois ou três reunidos em meu nome, ali estou eu no meio deles" (Mt 18:19). Ainda que as palavras de Cristo se apliquem a todos os crentes, sem dúvida, são válidas para os casamentos cristãos. A oração unida abre espaço para a presença de Deus em seu casamento de forma especial, junto com o amor, a alegria e a paz que você deseja experimentar em seu lar. Acontece cada vez que se erguem as mãos para alcançar o trono da graça.

Quando vocês se uniram como marido e esposa, Deus lhes deu um presente de casamento – um parceiro de oração permanente por toda vida. Quando você precisa de sabedoria para tomar certas decisões, você e seu parceiro de oração podem buscar a Deus juntos para achar a resposta. Quando você estiver sofrendo com seus próprios temores e com suas inseguranças, seu parceiro de oração pode segurar a sua mão e interceder em seu favor. Quando você e seu cônjuge não se entendem e não deixam passar uma discussão ou uma "espetadinha" sequer, você pode parar um pouco, abaixar as suas armas e ir com seu parceiro em direção a uma oração de emergência. Esse deve se tornar seu reflexo automático quando não sabe mais o que fazer.

É difícil ficar muito tempo com raiva de alguém com quem esteja orando. É difícil não voltar atrás quando está ouvindo seu cônjuge clamar a Deus, humildemente, e pedir a Ele por misericórdia em meio à sua pior crise. Em oração, as duas pessoas se lembram de que Deus as fez uma. Em Sua presença unificadora, a discórdia se rende à beleza.

A palavra que Jesus usou quando falava de "concordância" em oração dá a ideia de uma sinfonia harmônica. Duas notas separadas, tocadas cada uma a seu tempo, soam de maneira diferente. Elas são opostas uma à outra. Mas se tocadas ao mesmo tempo – em concordância – elas criam uma agradável sensação de harmonia. Juntas elas têm um som mais pleno, mais completo do que quando tocadas separadamente.

Concordar em oração é assim – mesmo em meio ao desentendimento. Isso os conduz ao que, realmente, importa. Coloca vocês em solo comum, face a face com o Pai.

A igreja, que nas Escrituras tem uma conotação de casamento com Cristo, pode, às vezes, ser o lugar onde o conflito governa. A discórdia que surge de vários problemas pode afastar a igreja de sua missão e interromper o livre fluir da adoração e da unidade. Por vezes, líderes cristãos percebem o que está acontecendo, acabam com as discussões e chamam o povo de Deus para orar. Em lugar de continuar com a discórdia e permitir que mais sentimentos sejam feridos, eles buscam a unidade ao voltar o coração para Deus e pedir ajuda a Ele.

A mesma coisa acontece em nossas casas quando existe a intervenção da oração, mesmo em pontos elevados de discórdia. Ela estanca o sangramento. Aquieta as altas vozes. Quando você entende na presença de quem está, a oração o tranquiliza.

Mas a função da oração é muito mais do que acabar com as brigas. A oração é um privilégio a ser desfrutado em uma base diária e consistente. Orar por seu cônjuge faz seu coração interessar-se mais por ele. Ouvi-lo orar por suas necessidades, por sua proteção e pela bênção de Deus sobre sua vida é uma experiência íntima que pode aprofundar o amor e os sentimentos mútuos. Quando você sabe que o tempo de oração o espera antes de ir dormir, ela mudará a maneira como você passa suas noites. Mesmo se as orações de vocês forem, frequentemente, curtas e objetivas, isso se tornará um compromisso permanente de manter Deus no centro de tudo em sua vida... onde sempre deve estar.

É verdade que iniciar um hábito como esse pode parecer, a princípio, desconfortável e embaraçoso. No mínimo, o surpreenderá com seu peso e sua responsabilidade quando você, realmente, tentar fazê-lo. Quanto mais você pratica, mais natural se tornará incorporar a oração no tempo de vocês. E o mais importante é que Deus se agradará de vê-los humilharem-se e buscarem Sua face... juntos.

Você olhará para o passado, nessa aliança comum que percorre tudo, desde aquela simples decisão até ao que diz respeito a decisões mais sérias e será muito grato a Deus por este "aspecto" que mudou tudo. Essa é uma área onde é essencial que vocês concordem.

DESAFIO DE HOJE

PERGUNTE AO SEU CÔNJUGE SE VOCÊS PODEM COMEÇAR A ORAR JUNTOS. CONVERSEM SOBRE A MELHOR HORA PARA FAZER ISSO, SEJA PELA MANHÃ, NA HORA DO ALMOÇO OU ANTES DE DORMIR. UTILIZE ESSE TEMPO PARA COLOCAR SUAS PREOCUPAÇÕES, DISCÓRDIAS E NECESSIDADES DIANTE DO SENHOR. NÃO SE ESQUEÇAM DE AGRADECER-LHE PELA PROVISÃO E PELAS BÊNÇÃOS. MESMO SE O SEU CÔNJUGE SE RECUSAR A FAZER ISSO, DECIDA TER ESSE TEMPO DE ORAÇÃO, DIARIAMENTE, AINDA QUE SOZINHO.

- Anote, aqui, quando o desafio de hoje estiver completo.

O que você pode fazer para que o seu marido ou a sua esposa esteja disposto(a) a orar junto com você? Se vocês concordaram em orar juntos, como foi? O que você aprendeu com isso?

____

____

____

____

____

____

Para encontrar uma orientação sobre como orar juntos, consulte o Apêndice III da página 214

Mas a ti eu clamei, ó SENHOR, e de manhã minha oração te esperará. (Sl 88:13)

38º Dia

O Amor realiza sonhos

Deleita-te também no SENHOR; e ele te dará os desejos do teu coração. (Salmos 37:4)

De que o seu cônjuge iria gostar muito, mas muito mesmo? Com que frequência você se faz essa pergunta?

O senso comum nos diz que não podemos dar tudo o que nosso marido ou esposa gostaria. Nosso orçamento e saldo bancário nos dizem que, provavelmente, não poderemos arcar com isso de forma alguma. Ainda que pudéssemos, estamos, demasiadamente, ocupados, e, provavelmente, não tenhamos tempo.

Contudo, talvez, você esteja deixando que o "não" seja a resposta mais rápida. Talvez, você esteja deixando tal configuração negativa se tornar muito racional e lógica, muito automática. O que aconteceria se, em lugar de afastar o pensamento, você desse seu melhor para honrar os desejos do seu cônjuge? O que aconteceria se aquilo que você disse que nunca faria por ele se tornasse a próxima coisa a ser feita?

O amor, às vezes, precisa ser extravagante. Fazer o que parece impossível. Ele, às vezes, precisa deixar as técnicas de lado e fazer um agrado só porque deseja.

Esse pensamento é muito característico de adolescentes? Amor como este não está mais a disposição depois de tantos anos de casamento? Além disso, da forma como o seu casamento deve estar no momento, não seria hipocrisia agradar seu cônjuge se seu coração não está nisso?

Bem, o que você acha de colocar seu coração nisso? O que acha de adotar um novo nível de amor que, verdadeiramente, queira realizar cada sonho e desejo possível?

Sabia que Deus ama de maneira incomum? Seu amor vai além do previsível. Derrama com liberalidade e abundância. A Bíblia afirma que fez "abundar" Sua graça para conosco (Ef 1:8), e que o amor de Jesus nos proporciona uma vida pródiga que flui sem limites (Jo 10:10). E, como discípulos do Senhor, somos chamados a dar essa mesma classe de amor abundante, a oferecer mais que o solicitado, a caminhar a segunda milha, a fazer mais do é esperado de nós (Mt 5:39-45).

O amor de Deus já não supriu necessidades em seu coração que já lhe pareceram fora de questão? Você estava vivendo sob uma carga tão grande de pecado e arrependimento, que chegou a pensar que nunca retornaria ao caminho da Sua graça. Mas Ele olhou para você com amor e disse que você não tinha de se preocupar. Ele queria você de volta. Ele desejava que você entendesse o quanto precisa dele e, ao se arrepender e voltar-se para Ele, Ele o amaria e perdoaria. "Mas Deus, que é rico em misericórdia, pelo seu grande amor com que nos amou, estando nós ainda mortos em nossos pecados, nos vivificou juntamente com Cristo (pela graça sois salvos)" (Ef 2:4-5).

Você pensou que a vida se acabou quando um certo contratempo tirou todo o vento da sua embarcação. Você perdeu suas forças e clamou por Ele. Você orou como nunca antes havia orado. E mesmo não sendo fácil voltar e prosseguir, de alguma forma, você sobreviveu. Ele alcançou você com a paz que prometera "que excede todo o entendimento" (Fp 4:7) e o manteve firme.

Não foi quando você estava se comportando como um anjo que Deus escolheu derramar Seu amor sobre você. Não foi porque você era tão merecedor que Ele lhe ofereceu Sua graça. Sem restrições, pagou o preço por você. E se fez o modelo a seguir. Sua Palavra afirma que Deus ama ao que dá com alegria, como Ele (2Co 9:7), ao que está disposto a dar sem restrições por puro prazer.

Para qual presente inesperado poderia começar a economizar, a fim de surpreender seu cônjuge com amor? Uma nova lava-louças? Brincos de diamantes? Um veículo melhor?

Onde poderia fazer reservas para uma escapada romântica durante o final de semana, somente para vocês dois? Na choupana de um amigo? Em um hotel próximo? Em algum cruzeiro?

Nem tudo o que o seu cônjuge deseja tem um preço muito alto. Nem tudo o que ele deseja pode ser comprado com dinheiro. Sua esposa pode desejar o seu tempo. Ela pode, realmente, querer a sua atenção. Ela pode desejar ser tratada como uma rainha, desejar saber que seu marido a considera como seu maior tesouro. Ela pode desejar ver em seus olhos um amor que se faz presente não importa o que aconteça.

Seu esposo pode, realmente, desejar o seu respeito. Ele pode querer que você o reconheça como o cabeça da casa diante de seus filhos. Ele pode desejar muito que você o abrace sem razões específicas, que o surpreenda com um beijo demorado ou um bilhete de amor quando não tem um aniversário ou uma data comemorativa para justificar. Ele pode precisar muito saber que você ainda o acha forte e bonito, da forma como achava antes.

Os sonhos e desejos vêm em todas as formas e tamanhos, mas o amor observa, cuidadosamente, todos os detalhes e planeja com cautela.

Então...

...leia nas entrelinhas para descobrir o que seu cônjuge espera ou necessita de verdade.

...recorde de fatos especiais de seu relacionamento ou observe como poderia criar novas recordações durante as distintas etapas da vida.

...ofereça quando seria muito mais conveniente esperar.

...sonhe acordado e com tanta frequência com estas oportunidades que, planejar esta espécie de surpresas, se tornará natural para você.

Nós desafiamos você a pensar na intenção de inundar o seu cônjuge com amor. Supere todas as suas expectativas com uma amabilidade que o surpreenda. Esse pode ser ou não um sacrifício financeiro, mas necessita de refletir um coração que está disposto a se expressar de maneira extravagante. Uma das maiores reprovações das pessoas nas últimas etapas da vida é não ter amado mais plenamente quando teve oportunidade. Sua *oportunidade* é agora.

Pense sobre o que seu cônjuge iria gostar intensamente. É hora de começar a colocar esses pensamentos em prática.

DESAFIO DE HOJE

PERGUNTE A SI MESMO O QUE O SEU CÔNJUGE IRIA QUERER, SE FOSSE POSSÍVEL DE OBTER. LEVE ISSO EM ORAÇÃO E COMECE A MAPEAR UM PLANO PARA ATENDER A ALGUNS (SE NÃO TODOS) DESSES DESEJOS, EM TODOS OS ESTÁGIOS POSSÍVEIS.

- Anote, aqui, quando o desafio de hoje estiver completo.

O que o tem deixado resistente a realizar desejos latentes em seu cônjuge? Se ele soubesse que os sonhos dele são prioridade para você, o quanto seu casamento mudaria? Quais desejos dele você está tentando realizar?

____

____

____

____

____

____

____

____

____

E Deus é capaz de fazer toda a graça abundar em vós. (2Co 9:8)

"Lutarei até o final por meu casamento, não por obrigação, mas porque quero fazê-lo". — Julieta

39º Dia

O Amor permanece

A caridade nunca falha. (1 Coríntios 13:8)

Quando sopram tormentas e o clima piora, o amor decide suportar, mesmo em meio aos problemas mais graves. Ainda que o ameacem, segue adiante. Mesmo que o desafiem, continua avançando. Ainda que o maltratem e rejeitem, recusa-se a dar-se por vencido.

O amor nunca perece.

Muitas vezes, quando o casamento está em crise, o cônjuge que tenta fazer com que as coisas funcionem bem se achegará ao outro e, declarando com precisão que não importa o que tenha acontecido no passado, ele está comprometido com o casamento. É certo que o seu amor irá permanecer. Ele prometeu. Mas, talvez o outro cônjuge ainda não esteja pronto ao ouvir isso, e conserva sua posição. Eles ainda resistem. Eles não veem o casamento a longo prazo. E eles nem mesmo desejam que isso aconteça mais.

Aqueles que foram expostos a essa situação difícil, que tentaram restaurar o que foi destruído, não podem lidar com a rejeição. Assim, eles acabam declarando: "Tudo bem. Se você quer dessa maneira, é assim que vai ser."

Mas se o amor é, realmente, amor, ele não hesita quando não é recebido da maneira como gostaria. Podem dizer ao amor que desistirão de amar, então esse, verdadeiramente, não é amor. O amor que vem de Deus é permanente, impossível de ser parado. Se o alvo desse afeto não quer recebê-lo, o amor continua amando do mesmo jeito.

O amor nunca perece. Nunca.

O amor de Jesus é assim. Os seus discípulos eram totalmente imprevisíveis. Após comemorarem juntos a Páscoa, quando Jesus disse que eles o abandonariam antes da noite terminar, Pedro declarou, "Ainda que todos os homens se escandalizarem em ti, eu nunca me escandalizarei...Ainda que me seja necessário morrer contigo, eu não te negarei". (Mt 26:33). E todos os outros discípulos falaram a mesma coisa.

Porém, mais tarde, ainda naquela noite, o grupo fechado de seguidores de Jesus – Pedro, Tiago e João – foram capazes de dormir enquanto Jesus passava por agonia no jardim. No caminho da crucificação de Cristo, Pedro o negaria três vezes no pátio. Mas naquele momento preciso, a Bíblia diz que Jesus "virou e olhou" para ele (Lc 22:61). Os seus discípulos falharam com Ele – mais uma vez – após algumas horas de terem feito promessas. Ainda assim, Ele nunca deixou de amá-los, porque Ele e Seu amor são "o mesmo, ontem, e hoje, e para sempre" (Hb 13:8).

Quando você faz de tudo dentro das suas possibilidades para obedecer a Deus, seu cônjuge pode ainda abandoná-lo e ir embora – assim como os seguidores de Jesus fizeram com Ele. Mas se o seu casamento falhar, se o seu cônjuge for embora, não deixe que a razão disso seja por que você desistiu do casamento ou parou de amá-lo.

O amor nunca perece.

Dos nove "frutos do Espírito" listados em Gálatas 5, o primeiro de todos é o *amor*. E porque a fonte desse amor é o imutável Espírito Santo – o mesmo Santo Espírito que habita no coração de todos os cristãos – então o amor que Ele coloca em você é imutável também. Ele é baseado na *vontade* de Deus, no *chamado* de Deus e na Palavra de Deus – todos imutáveis. A Bíblia os declara "irrevogáveis" (Rm 11:29). "O céu e a terra passarão, mas as minhas palavras não passarão" (Lc 21:33).

Há apenas alguns dias você foi desafiado a construir, amorosamente, seu casamento na Palavra de Deus. Isso para que quando todo o resto falhar, a verdade de Deus ainda permaneça firme. Ao longo do caminho você também foi desafiado a ser paciente, a não ser egoísta, a se sacrificar pelas necessidades do seu cônjuge.

Essas não são apenas ideias amorosas que existem isoladas. Cada qualidade do amor destacada neste livro está baseada no amor de Deus, capturado e expressado em Sua Palavra. A *imutável* Palavra de Deus. Não há desafio ou circunstância que possa colocar uma data de vencimento nele ou em Seu amor. Então, o seu amor – feito das mesmas substâncias – produz o mesmo, características imutáveis. "Sofre todas as coisas; crê em todas as coisas, espera em todas as coisas, suporta todas as coisas" (1Co 13:7).

A caridade nunca falha.

Quando um casamento se desfaz, o casal costuma atribuir o fracasso do relacionamento à "incompatibilidade de gênios". Mas o amor genuíno é baseado na reconciliação. Quando assume o controle, nos leva a pedir perdão com humildade, a nos tornarmos, completamente, responsáveis por nossos erros e perdoar de verdade quando nosso cônjuge falha conosco. Quantas vezes forem necessárias. Os casamentos resistentes estão sedimentados na sinceridade, respeito, compromisso, perdão e tolerância. E o amor sempre fomenta o crescimento de tais qualidades em nós.

Então, o desafio de hoje é colocar o seu amor inesgotável em palavras mais poderosas e íntimas possíveis. Aqui está a sua chance de declarar que não importa quantas imperfeições existentes permaneçam – tanto em você quanto em seu cônjuge – o seu amor é ainda maior. Não importa o que ele tenha feito ou com que frequência fez isso, você escolheu amá-lo assim mesmo. Apesar de você ter sido descuidado no tratamento com ele com o passar dos anos, seus dias de inconsistência no amor acabaram. Você aceita esse homem ou essa mulher como um presente especial de Deus para você e promete amá-lo(a) até a morte.

Você está dizendo ao seu cônjuge, "Mesmo que você não goste do que está lendo – mesmo que você não goste de mim – eu escolho amar você assim mesmo. Para sempre".

Porque o amor nunca perece.

DESAFIO DE HOJE

PASSE UM TEMPO ORANDO, INDIVIDUALMENTE, ENTÃO ESCREVA UMA CARTA DE COMPROMETIMENTO AO SEU CÔNJUGE. INCLUA A RAZÃO PELA QUAL ESTÁ SE COMPROMETENDO COM ESSA ALIANÇA ATÉ A MORTE E QUE DECIDIU AMÁ-LO, NÃO IMPORTANDO AS RAZÕES. DEIXE-A EM UM LUGAR ONDE O SEU CÔNJUGE POSSA ENCONTRÁ-LA.

- Anote, aqui, quando o desafio de hoje estiver completo.

Quais foram as hesitações que você teve ao escrever esta carta? Como você espera que o seu cônjuge responda a ela? Como Deus o ajudou a escrevê-la e o que este processo lhe ensinou sobre você mesmo?

Ele não retém a sua ira para sempre, porque tem prazer na sua misericórdia. (Mq 7:18)

"Ao chegarmos ao dia 40, descobrimos que queríamos mais. Mas, agora, sabemos que, à medida que nos aproximamos dele, Ele nos aproxima como esposos". — Juan

40º DIA

O Amor é uma aliança

Para onde fores, eu irei; e onde te alojares, eu me alojarei; o teu povo será o meu povo, e o teu Deus, o meu Deus. (Rute 1:16)

Parabéns. Você chegou ao final de *O Desafio de Amar* – o livro. Mas a experiência e o desafio de amar o seu cônjuge é algo que não tem fim. Continua pelo o resto da sua vida.

Esse livro termina no 40º dia, mas quem disse que o seu desafio terminou? E, à medida que você vê o seu casamento por essa perspectiva, nós desafiamos você a considerá-lo como uma *aliança* e não como um *contrato*. Essas duas palavras são parecidas em significado e intenção, mas na realidade são bastante diferentes. Ver o casamento como um contrato é como dizer ao seu cônjuge, "Eu tomo você para mim e vamos ver se dá certo". Porém, vê-lo como uma aliança muda a fala para, "Eu me entrego a você e me comprometo com este casamento por toda a minha vida".

Existem muitas outras diferenças entre alianças e contratos. Um *contrato* é, geralmente, um acordo escrito baseado em desconfiança, traçando as condições e consequências caso seja quebrado. Uma *aliança* é um compromisso verbal baseado na verdade, assegurando a alguém a sua promessa incondicional e boa para a vida. É feita diante de Deus como um ato de amor um pelo outro.

Um *contrato* é para interesse próprio e vem com responsabilidades limitadas. Ele estabelece um período de tempo para a vida útil de certas mercadorias. Uma *aliança* é para benefício de outros e vem com responsabilidades ilimitadas.

Não tem data de validade. É até que a morte nos separe. Um *contrato* pode ser quebrado com consentimento mútuo. Uma *aliança* é planejada para ser inquebrável.

A Bíblia contém muitas outras alianças maiores como parte da declarada história do povo de Deus. Deus fez uma aliança com Noé prometendo que a Terra nunca mais seria destruída pelas águas de um dilúvio (Gn 9:12-17). Ele fez uma aliança com Abraão prometendo que uma nação inteira de descendentes viria da linhagem da sua família (Gn 17:1-8). Ele fez uma aliança com Moisés declarando que o povo de Israel seria propriedade permanente de Deus (Êx 19:3-6). Ele fez uma aliança com Davi prometendo que um rei se assentaria em seu trono para sempre (2Sm 7:7-16). No final de tudo, Ele fez uma "nova aliança" pelo sangue de Cristo, estabelecendo uma herança interminável e imutável de perdão de pecados e de vida eterna para aqueles que creem nele (Hb 9:15). E nenhuma vez sequer Deus quebrou alguma dessas alianças.

E temos o casamento – a aliança mais forte entre duas pessoas na Terra, a promessa de um homem e uma mulher de estabelecerem um amor que é incondicional e que dura por toda uma vida. No casamento, o anel representa os votos da aliança – não meras obrigações que você espera cumprir, mas promessas pensadas, previamente, declaradas, publicamente, e testemunhadas por outros.

Assim como você leu, inúmeras vezes, nas páginas desse livro, manter esta aliança não é algo que você pode fazer pelas suas próprias forças. Existe uma razão que explica por que Deus foi o primeiro a estabelecer alianças com Seu povo. Apenas Ele é capaz de cumprir as exigências de Suas próprias promessas. Apenas Ele é capaz de perdoar os que fazem aliança com Ele, mas falham em manter a sua parte no acordo. Mas, o Espírito de Deus está em você em razão da sua fé em Seu Filho e da graça concedida a você em salvação. Isso significa que, agora, você pode exercitar seu papel de protetor da aliança, não importa o que se levante para desafiar sua fidelidade a ela.

Especialmente, se o seu cônjuge não está, agora, no lugar de receber o seu amor, o ato de proteger a aliança pode representar, gradativamente, uma ameaça com o passar dos dias. Mas o casamento não é um contrato com cláusulas escapatórias e exceções. O casamento é uma aliança projetada para acabar com todos os atalhos de fuga ou de retrocesso. Não há nada, em todo o mundo, que possa separar o que Deus uniu. O seu amor é baseado na aliança.

Centenas de anos após o profeta Malaquias ter registrado tais palavras, as pessoas ainda se perguntam por que Deus, às vezes, retém Sua mão a abençoar suas casas e casamentos. "E vocês ainda perguntam: Por quê? "É porque o Senhor é testemunha entre você e a mulher da sua mocidade, pois você não cumpriu a sua promessa de fidelidade, embora ela fosse a sua companheira, a mulher do seu acordo matrimonial. Eu odeio o divórcio", diz o Senhor, o Deus de Israel, e "o homem que se cobre de violência como se cobre de roupas", diz o Senhor dos Exércitos. Por isso tenham bom senso; não sejam infiéis" (Ml 2:14,16).

Todo casamento é chamado para ser um retrato terreno da aliança celestial de Deus com a igreja. O casamento é para mostrar ao mundo a glória e a beleza do amor incondicional de Deus por nós. Jesus disse, "como o Pai me amou, assim eu os amei; permaneçam no meu amor" (Jo 15:9). Permita que a Palavra dele o inspire a ser canal do amor de Deus para o seu cônjuge.

A hora é agora, homem ou mulher de Deus, de renovar a sua aliança de amor com toda sinceridade e entrega. O amor é um tesouro sagrado para ser trocado por outro, e um laço muito poderoso para ser quebrado sem consequências terríveis. Ligue-se mais uma vez àquele(a) que Deus entregou para você cuidar, apreciar e honrar.

A união de vocês está em suas mãos. Seja desafiado a segurá-la e nunca deixá-la acabar.

Nós desafiamos você.

DESAFIO DE HOJE

ESCREVA NOVAS PROMESSAS, ASSIM COMO VOCÊ FEZ NO DIA DO SEU CASAMENTO. GUARDE-AS EM ALGUM LUGAR DA SUA CASA. TALVEZ, CASO SEJA APROPRIADO, VOCÊ PODE RENOVAR ESSAS PROMESSAS, FORMALMENTE, DIANTE DE UM MINISTRO E COM A FAMÍLIA PRESENTE. FAÇA DESSAS PROMESSAS UM TESTAMENTO VIVO DO VALOR DO CASAMENTO AOS OLHOS DE DEUS E DA GRANDE HONRA DE SER UM COM SEU CÔNJUGE.

- Anote, aqui, quando o desafio de hoje estiver completo.

O que Deus lhe revelou durante a jornada de *O Desafio de Amar*? Como a sua visão de casamento mudou? Qual o seu nível de comprometimento com Deus e com o seu cônjuge? Com quem você pode compartilhar isso como testemunho?

____

____

____

____

____

____

____

Ele se lembra para sempre da sua aliança. (Sl 105:8)

"Nosso casamento não será mais um casamento. Será um pacto com Deus". — María Belén

Apêndice I

Conduzindo o Seu Coração

O QUE É O CORAÇÃO?

Sua identidade. O seu coração é a parte mais importante de quem você é. É o centro do seu ser, onde habita o seu "verdadeiro eu". "Como na água a face corresponde à face, assim também, o coração do homem ao homem" (Pv 27:19). Como uma pessoa "pensa em seu coração, assim é ele" (Pv 23:7).

O seu centro. Uma vez que o seu coração físico é o centro do seu corpo e envia sangue que dá a vida a cada célula viva, a palavra "coração" tem sido utilizada há séculos para descrever o lugar onde se inicia todos os pensamentos, crenças, valores, motivações e convicções.

O seu centro de comando. O seu coração é o Pentágono das suas ações. Como resultado, cada área da sua vida é impactada pela direção do seu coração.

O QUE HÁ DE ERRADO EM SEGUIR O MEU CORAÇÃO?

Ele é tolo. O mundo diz "Siga o seu coração!" Esta é a filosofia dos mestres da nova era, dos seminários de autoajuda e das músicas pop românticas. Tal filosofia vende milhões de livros e gravações porque soa romântica e nobre. O problema é que seguir o seu coração, geralmente, significa perseguir tudo o que parece correto no momento, seja apropriado ou não.

Significa jogar a cautela e a consciência ao vento e obter, a qualquer custo, seus últimos caprichos e desejos independente do que dizem a lógica e o conselho. A Bíblia diz, "Quem confia em si mesmo é insensato, mas quem anda segundo a sabedoria não corre perigo" (Pv 28:26).

Ele é duvidoso. As pessoas se esquecem de que os sentimentos e emoções são superficiais, inconstantes e duvidosas. Eles podem flutuar dependendo das circunstâncias. Em um esforço de seguir o seu coração, as pessoas têm abandonado seus empregos para fazer parte de uma banda de baixa qualidade no fundo de uma garagem. Têm perdido as economias de toda uma vida para seguir um capricho ou uma corrida de cavalo. Ou têm deixado o cônjuge de toda a vida, para ir em direção a um(a) atraente colega de trabalho que já foi casado(a) por duas vezes.

O que parece ser o correto a nível de emoções agradáveis, geralmente, será considerado um erro terrível anos depois.

Tal filosofia egoísta também é fonte de inúmeros divórcios. Ela leva muitos a se isentarem do compromisso de toda a vida porque não estão mais "apaixonados".

Ele é corrompido. A verdade é: nosso coração é egoísta e pecaminoso. A Bíblia diz, "Enganoso é o coração, mais do que todas as coisas, e perverso; quem o conhecerá?" (Jr 17:9). Jesus disse, "Porque do coração procedem os maus pensamentos, homicídios, adultérios, prostituição, furtos, falsos testemunhos e blasfêmias" (Mt 15:19). A menos que o nosso coração seja, genuinamente, transformado por Deus, ele continuará escolhendo as coisas erradas.

ALGUMA VEZ, DEVO SEGUIR O MEU CORAÇÃO?

O Rei Salomão disse, "O coração do sábio o inclina para a direita, mas o coração do tolo para o mal" (Ec 10:2).

Assim como o seu coração pode direcioná-lo ao ódio, à cobiça e à violência, ele também pode ser dirigido pelo amor, pela verdade e pela bondade. Enquanto você caminha com Deus, Ele colocará em seu coração os sonhos que Ele deseja realizar em sua vida. Ele, também, colocará em seu coração habilidades e dons que deseja desenvolver para a glória dele (Êx 35:30-35). Ele colocará em seu coração o desejo de dar (2Co 9:7) e de adorar (Ef 5:19). Quando você coloca Deus em primeiro lugar, Ele irá intervir e cumprir os desejos do seu coração. A Bíblia diz, "Deleite-se no Senhor, e ele atenderá aos desejos do seu coração" (Sl 37:4). Mas o único momento em que você se sentirá bem seguindo seu coração é quando você souber que seu coração está inclinado a servir e a agradar a Deus.

POR QUE NÃO É SUFICIENTE SEGUIR MEU CORAÇÃO?

Porque o nosso coração é tão sujeito a mudanças e tão suspeito, que as Escrituras deixam uma mensagem muito mais forte do que "siga o seu coração". A Bíblia o instrui a direcionar o seu coração. Isso significa tomar a inteira responsabilidade para as condições e direções dele. Entenda que você, realmente, tem o controle de onde está o seu coração. Você tem o poder que foi dado por Deus de tirar o seu coração de um determinado lugar e colocá-lo em outro:

Provérbios 23:17	"Não inveje os pecadores em seu coração."
Provérbios 23:19	"Guie o seu coração pelo bom caminho."
Provérbios 23:26	"Meu filho, dê-me o seu coração; mantenha os seus olhos em meus caminhos."
1 Reis 8:61	"Mas vocês, tenham coração íntegro para com o Senhor, o nosso Deus."
João 14:27	Não se perturbem os seus corações, nem tenham medo."
Tiago 4:8	"Purifiquem o coração."
Tiago 5:8	"Fortaleçam o coração."

COMO EU GOVERNO O MEU CORAÇÃO?

Primeiramente, você precisa entender que o seu coração segue seus investimentos. Seja no que for que você colocar o seu tempo, energia e dinheiro, atrairá o seu coração. Isso acontecia antes de você se casar. Vocês escreviam cartas, compravam presentes e passavam tempo juntos como um casal e os seus corações os seguiam. E quando você parou de investir dessa forma no seu relacionamento e se direcionou a outras coisas, o seu coração o seguiu até lá também. Se, hoje, você não está apaixonado por seu cônjuge, deve ser porque parou de investir nele ontem.

Sonde seu coração. Uma das chaves para obter sucesso no governo do seu coração é estar sempre ciente de onde ele está. Você sabe o que tem no seu coração nesse momento? Você pode responder a essa pergunta procurando saber no que você gastou o seu tempo o mês passado, para onde foi o seu dinheiro e do que você está sempre falando?

Guarde o seu coração. Quando algo prejudicial tenta o seu coração, é de sua responsabilidade guardá-lo contra a tentação. A Bíblia diz, "Acima de tudo guarde o seu coração pois dele depende toda a sua vida" (Pv 4:23). Não deixe o seu coração colocar o dinheiro e o trabalho acima do seu cônjuge e da sua família. Não deixe o seu coração cobiçar a beleza de uma outra mulher (Pv 6:25). A Bíblia diz, "Não confiem na extorsão, nem ponham a esperança em bens roubados; se as suas riquezas aumentam, não ponham nelas o coração" (Sl 62:10).

Procurem as coisas que são do alto. O apóstolo Paulo disse, "procurem as coisas que são do alto, onde Cristo está assentado à direita de Deus" (Cl 3:1). É hora de identificar onde o seu coração precisa estar e então, decidir colocá-lo nessas coisas. Você diz, "Mas na verdade, eu não quero tanto assim investir em meu casamento. Preferiria fazer isso ou aquilo". Eu sei. Você já colocou o seu coração nisso no passado e, agora, está preso à mentalidade "Siga o seu coração". Porém, você não precisa deixar que os seus sentimentos o governem mais. A cobiça é colocar o seu coração em algo que é proibido e errado. Você pode escolher tirar o seu coração das coisas erradas e colocá-lo no que é correto.

Invista em seu coração. Não espere até querer fazer o que é certo. Não espere sentir-se apaixonado por sua esposa para então investir em seu relacionamento. Comece olhando para o seu casamento e investindo no lugar onde o seu coração precisa estar. Gaste tempo com seu cônjuge. Compre presentes. Escreva cartas. Marque encontros. Quanto mais você investir, mais o seu coração valorizará o seu relacionamento. É disso que trata *O Desafio de Amar* – quarenta dias direcionando o seu coração a amar seu cônjuge.

Apêndice II

20 Perguntas para o seu Cônjuge

Seja em um encontro ou durante uma conversa particular, tente utilizar as perguntas abaixo para aprender mais sobre o coração do seu cônjuge. Deixe que os tópicos levantem perguntas adicionais que você queira explorar, mas mantenha o foco e o humor positivos. Ouça mais que fale.

PERGUNTAS PESSOAIS

- Quais são os maiores sonhos e esperanças do seu cônjuge?
- De que você mais gosta em sua vida agora?
- De que você menos gosta em sua vida agora?
- Como seria o emprego dos seus sonhos?
- Quais são as coisas que você sempre quis fazer, mas, ainda, não teve oportunidade?
- Quais as três coisas que você deseja fazer antes de terminar o ano?
- Com quem você se sente mais "seguro(a)" de estar? Por quê?
- Se você pudesse almoçar com qualquer pessoa desse mundo, quem seria essa pessoa e por quê?
- Quando foi a última vez que você se sentiu muito alegre?
- Se você tivesse que dar um milhão de dólares a alguém, a quem você daria?

PERGUNTAS MATRIMONIAIS

- Quais são as três coisas que eu faço de que você mais gosta?
- Quais são as três coisas que eu faço que deixa você enlouquecido(a)?
- Que coisa eu fiz no passado que fez você se sentir amado(a)?
- O que eu fiz que fez você se sentir desvalorizado(a)?
- Diga três coisas em que eu possa melhorar.
- Das coisas abaixo, qual faria você se sentir mais amado(a)?

Receber massagens e carícias no seu corpo por uma hora.
Sentarmos e conversarmos por uma hora sobre seu assunto favorito.
Ter ajuda com a casa durante uma tarde.
Receber um presente bem legal.
Ouvir palavras encorajadoras que expressem o quanto você é apreciado(a).

- Quais fatos que aconteceram no passado que você gostaria que fossem apagadas como se nunca tivessem acontecido?
- Qual é a outra grande decisão que Deus quer que tomemos como um casal?
- Como você gostaria que fosse a sua vida daqui a cinco anos?
- Que palavras você gostaria de ouvir de mim com mais frequência?

Ofereça encorajamento e um atenção ao ouvir. Não permita que isso se torne um argumento ou uma oportunidade para você criticar. Deixe que este seja um tempo para seu cônjuge se expressar.

Apêndice III

Como orar juntos

DedIquem-se à oração, estejam alertas e sejam agradecidos. (Colossenses 4:2)

Orar juntos, como casal, é um privilégio inviolável que implica em benefícios infinitos. Entretanto, para muitos, é uma nova ideia e poderia ser um tanto intimidadora a princípio. Muitas pessoas relegam a oração a situações convencionais: à igreja, às comidas, à hora de dormir. Mas, assim, perdemos oportunidades diárias de aproveitar o privilégio que Deus nos tem dado de entregar-Lhe cada necessidade e inquietude em uma oração imediata... juntos.

Como esposos, orar juntos não só deveria ser o primeiro passo antes de iniciar cada dia ou tomar uma decisão, mas, também, o refúgio instantâneo ante o primeiro indício de temor, dúvida ou inquietação.

- Toda crise deveria nos levar a orar juntos de imediato, em vez de entrar em pânico. Quando souberem de uma tragédia nacional, uma emergência familiar ou diagnóstico de câncer de um amigo, unam as mãos e corram juntos ao trono da graça.
- Da mesma forma, ao receberem boas notícias, a oração conjunta de gratidão honra a Deus por Suas bênçãos, e desvia qualquer tentação de atribuir crédito a si mesmo.

Iniciem agora, ainda que as circunstâncias não sejam, particularmente, terríveis nem perigosas, e deixem que a oração se transforme em sua resposta automática para as questões grandes e pequenas da vida. A princípio, talvez você não saiba que decisão tomar. Não se preocupe. A chave é ser humilde e sincero diante de

Deus, admitir, sinceramente, o que está atravessando e pedir Sua ajuda imediatamente. Não tente impressionar seu cônjuge com palavras sem propósito.

Além disso, aproveite o modelo de oração do Senhor, encontrado em Mateus 6:9-13. Não é um mantra para ser repetido, mas sim um guia. Jesus não disse que esse era o conteúdo para orar, mas sim a maneira de fazê-lo. Contém seis classes de petições em suas poucas palavras. Podem usá-la com seu cônjuge, como guia, ao derramar o coração diante de Deus.

A oração pode tomar muitas formas:

- Agradeça a ele pelas coisas boas que tem feito por você e louve-o por quão maravilhoso é;
- Confesse arrependimento por qualquer pecado e busque Seu perdão misericordioso;
- Ore pedindo a Deus, especificamente, do que necessita;
- Diga-lhe que recebe Seu amor por você e expresse seu amor em resposta;
- Clame por sabedoria, força e orientação para as decisões pequenas e grandes que se apresentem;
- Renda-se a Ele e peça-lhe que mude seu coração;
- Peça-lhe que transforme seu matrimônio em algo maravilhoso que lhe dê satisfação.

E o mais importante, você deve estar disposto a dizer: "Seja feita a Sua vontade". Então, comece o dia, pleno de expectativa para ver como opera de forma poderosa ao redor de você e com amor por de ti, para Sua glória!

Nas próximas páginas, você encontrará alguns "cadeados" e "chaves" importantes da oração: atitudes, estilos de vida e respostas que, segundo a Escritura, podem obstruir sua experiência de oração ou abri-la como nunca antes.

Apêndice IV

As trancas e as chaves da oração eficaz

A oração de um justo é poderosa e eficaz. (Tiago 5:16)

As trancas: dez coisas que bloqueiam a oração

1. **Orar sem conhecer a Deus por meio de Jesus**
João 14:6 – "Respondeu Jesus: "Eu sou o caminho, a verdade e a vida. Ninguém vem ao Pai, a não ser por mim".

2. **Orar com o coração que não expressa arrependimento**
Salmos 66:18-19 – "Se eu acalentasse o pecado no coração, o Senhor não me ouviria; mas Deus me ouviu, deu atenção à oração que lhe dirigi."

3. **Orar para aparecer**
Mateus 6:5 – "E quando vocês orarem, não sejam como os hipócritas. Eles gostam de ficar orando em pé nas sinagogas e nas esquinas, a fim de serem vistos pelos outros. Eu lhes asseguro que eles já receberam sua plena recompensa."

4. **Orar com palavras repetitivas e vazias**
Mateus 6:7-8 – "E quando orarem, não fiquem sempre repetindo a mesma coisa, como fazem os pagãos. Eles pensam que por muito falarem serão ouvidos. Não sejam iguais a eles, porque o seu Pai sabe do que vocês precisam, antes mesmo de o pedirem."

5. **Orações não feitas**
Tiago 4:2 – "Não têm, porque não pedem."

6. **Orar com coração ambicioso**
Tiago 4:3 – "Quando pedem, não recebem, pois pedem por motivos errados, para gastar em seus prazeres."

7. **Orar caso tenha maltratado seu cônjuge**
1 Pedro 3:7 – "Do mesmo modo vocês, maridos, sejam sábios no convívio com suas mulheres... e co-herdeiras do dom da graça da vida, de forma que não sejam interrompidas as suas orações."

8. **Orar por ignorar o necessitado**
Provérbios 21:13 – "Quem fecha os ouvidos ao clamor dos pobres também clamará e não terá resposta."

9. **Orar sentindo amargura no coração por alguém**
Marcos 11:25 – "E quando estiverem orando, se tiverem alguma coisa contra alguém, perdoem-no, para que também o Pai celestial lhes perdoe os seus pecados."

10. **Orar sem fé no coração**
Tiago 1:6-8 – "Peça-a, porém, com fé, sem duvidar, pois aquele que duvida é semelhante à onda do mar, levada e agitada pelo vento. Não pense tal homem que receberá coisa alguma do Senhor; é alguém que tem mente dividida e é instável em tudo o que faz."

Dez Chaves para a Oração Eficaz

1. **Orar pedindo, buscando e clamando**
Mateus 7:7,8,11 – "Peçam, e lhes será dado; busquem, e encontrarão; batam, e a porta lhes será aberta. Pois todo o que pede, recebe; o que busca, encontra; e àquele que bate, a porta será aberta. Se vocês, apesar de serem maus, sabem dar boas coisas aos seus filhos, quanto mais o Pai de vocês, que está nos céus, dará coisas boas aos que lhe pedirem!"

2. **Orar com fé**
Marcos: 11:24 – "Portanto, eu lhes digo: tudo o que vocês pedirem em oração, creiam que já o receberam, e assim lhes sucederá".

3. **Orar em segredo**
Mateus 6:6 – "Mas quando você orar, vá para seu quarto, feche a porta e ore a seu Pai, que está no secreto. Então seu Pai, que vê no secreto, o recompensará".

4. **Orar de acordo com a vontade de Deus**
1 João 5:14 – "Esta é a confiança que temos ao nos aproximarmos de Deus: se pedirmos alguma coisa de acordo com a sua vontade, ele nos ouve".

5. **Orar em nome de Jesus**
João 14:13,14 – "E eu farei o que vocês pedirem em meu nome, para que o Pai seja glorificado no Filho. O que vocês pedirem em meu nome, eu farei".

6. **Orar junto com outros crentes**
Mateus 18:19,20 – "Também lhes digo que se dois de vocês concordarem na terra em qualquer assunto sobre o qual pedirem, isso lhes será feito por meu Pai que está nos céus.

Pois onde se reunirem dois ou três em meu nome, ali eu estou no meio deles".

7. **Orar com jejum**
Atos 14:23 – "Paulo e Barnabé designaram-lhes presbíteros em cada igreja; tendo orado e jejuado, eles os encomendaram ao Senhor, em quem haviam confiado".

8. **Orar com uma vida de obediência**
1 João 3:21-22 – "Amados, se o nosso coração não nos condenar, temos confiança diante de Deus e recebemos dele tudo o que pedimos, porque obedecemos aos seus mandamentos e fazemos o que lhe agrada".

9. **Orar pensando em Cristo e em sua Palavra**
João 15:7 – "Se vocês permanecerem em mim, e as minhas palavras permanecerem em vocês, pedirão o que quiserem, e lhes será concedido".

10. **Orar deleitando-se no Senhor**
Salmos 37:4 – "Deleite-se no Senhor, e ele atenderá aos desejos do seu coração".

RESUMO DOS CADEADOS E DAS CHAVES DA ORAÇÃO

1. **Sua relação com Deus deve estar em ordem;**
2. **Sua relação com as demais pessoas deve estar em ordem;**
3. **Seu coração deve estar em ordem.**

Apêndice V

Como orar por sua esposa

1. Que ame ao Senhor com todo o seu coração, com toda a sua alma, com toda a sua mente e com toda a sua força. (Mateus 22:36-40)
2. Que encontre sua beleza e sua identidade em Cristo, e reflita Seu caráter. (1 Pedro 3:1-3; Provérbios 31:30)
3. Que ame a Palavra de Deus e permita que a torne mais parecida com Cristo. (Efésios 5:26)
4. Que seja bondosa, fale a verdade em amor e se aparte do mexerico. (Efésios 4:15,29; 1 Timóteo 3:11)
5. Que respeite você e submeta-se à sua liderança como ao Senhor. (Efésios 5:22-24; 1 Coríntios 14:35)
6. Que seja agradecida e encontre sua satisfação em Cristo, e não nas circunstâncias. (Filipenses 4:10-13)
7. Que seja hospitaleira e diligente para servir aos demais com alegria piedosa. (Filipenses 2:3,4)
8. Que traga bem e não mal à sua família todos os dias de sua vida. (Provérbios 31:12; 1 Coríntios 7:34)
9. Que convide mulheres idosas e piedosas para que lhe sejam conselheiras e lhe ajudem a crescer. (Tito 2:5)
10. Que não invente mentiras que desvalorizam sua função como esposa e mãe. (Tito 2:5)
11. Que seja amorosa, paciente, vagarosa para ofender-se e rápida para perdoar. (Tiago 1:19; Efésios 4:32)
12. Que busque satisfazer-se sexualmente somente com seu marido, e satisfazê-lo também. (1 Coríntios 7:1-5)
13. Que se dedique à oração e interceda de forma eficaz pelos demais. (Colossenses 4:2; Lucas 2:37)
14. Que oriente seu lar e seus filhos com diligência e temor do Senhor. (Provérbios 31:27)
15. Que não dê motivo para ser difamada, nem perca a confiança em si mesma. (1 Timóteo 5:14)

Como orar por seu esposo

1. Que ame ao Senhor com todo o seu coração, com toda a sua alma, com toda a sua mente e com toda a sua força. (Mateus 22:36-40)
2. Que caminhe em integridade, cumpra suas promessas, e honre seus compromissos. (Salmo 15; 112:1-9)
3. Que ame você de forma incondicional e lhe seja fiel. (Efésios 5:25-33; 1 Coríntios 7:1-5)
4. Que seja paciente, amável, tardio para ofender e rápido para perdoar. (Tiago 1:19; Efésios 4:32)
5. Que não se distraia nem se acovarde adotando uma atitude passiva, sem aceitar sua responsabilidade. (Neemias 6:1-14)
6. Que se torne um trabalhador diligente que sustente sua família e seus filhos. (Provérbios 6:6-11; 1 Timóteo 5:8)
7. Que esteja rodeado de amigos sábios e evite as amizades insensatas. (Provérbios 13:20; 1 Coríntios 15:33)
8. Que use o bom senso, e pratique a justiça, ame a misericórdia e caminhe em humildade com Deus. (Miqueias 6:8)
9. Que dependa da sabedoria e fortaleza de Deus em vez de sua própria. (Provérbios 3:5,6; Tiago 1:5; Filipenses 2:13)
10. Que tome decisões baseado no temor de Deus em lugar do temor do homem. (Salmo 34; Provérbios 9:10; 29:25)
11. Que se transforme em um líder espiritual forte e valente, cheio de sabedoria e convicção. (Josué 1:1-10; 24:15)
12. Que seja livre de toda atadura, mau hábito ou vício que o impeça de avançar. (João 8:31,36; Romanos 6:1-19)
13. Que encontre sua identidade e satisfação em Deus em vez de fazê-lo em questões temporais. (Salmo 37:4; 1 João 2:15-17)
14. Que leia a Palavra de Deus e permita que ela oriente suas decisões. (Salmo 119:105; Mateus 7:24-27)
15. Que seja achado fiel a Deus e deixe um legado sólido para as gerações futuras. (2 Timóteo 4:6-8; João 17:4)

Apêndice VI

Como posso encontrar paz com Deus?

Mesmo depois de completar o 20º dia de *O Desafio de Amar,* talvez você ainda esteja inseguro a respeito de sua relação com Deus. No entanto, nada deveria impedir você de receber e experimentar Seu amor por você nesse momento, e que possa amar seu cônjuge a partir de tal reserva inesgotável de fortaleza.

A Bíblia descreve a realidade sobrenatural da seguinte maneira:

Deus nos criou para agradá-lo e honrá-lo. Porém por causa de nosso orgulho e egoísmo, ninguém tem alcançado Seu propósito e todos O temos desonrado de distintas maneiras em nossa vida. Todos temos pecado contra Ele, e não temos lhe dado a honra e a glória que merece de nossa parte (Rm 3:23).

Se você afirma que é uma boa pessoa, seja sincero e pergunte se, alguma vez, desonrou Deus com mentiras, enganos, desejos luxuriosos, roubo, rebelião contra as autoridades ou ódio em relação aos outros. Esses pecados não só têm consequências nesta vida, como também nos desqualificam para podermos nos apresentar perante Deus em paz, e viver com Ele no céu eternamente. Como Deus é santo, recusa tudo que é pecaminoso (Mt 13:41-43). E como é perfeito, não pode nos permitir pecar contra Ele e ficar sem castigo; do contrário, não seria um Justo Juiz (Rm 2:5-8). A Bíblia declara que nossos pecados nos separam de Deus e que "o salário do pecado é a morte" (Rm 6:23). Não se trata, somente, de uma morte física, mas também de morte espiritual que nos separa de Deus por toda a eternidade.

A maioria das pessoas não compreende que nossas boas obras não apagam nossos pecados nem nos limpam aos olhos de Deus. Se isso fosse possível, poderíamos ganhar a entrada no céu, a qual negaria a justiça divina contra o pecado. Tal fato não só é impossível, como também rouba de Deus a honra que lhe é devida.

A boa notícia é que o Senhor não, somente, é justo, mas também amoroso e misericordioso. Nos proporcionou um melhor caminho para receber perdão e poder conhecê-lo.

Segundo a Bíblia, por amor e bondade para conosco, Deus enviou Seu único Filho, Jesus Cristo, para morrer em nosso lugar e derramar Seu sangue para redimir nossos pecados. Isto forneceu um sacrifício perfeito e um preço justo para Deus, e permitiu que Jesus recebesse o juízo que nós merecíamos. A morte de Cristo satisfez a justiça de Deus e, ao mesmo tempo, proporcionou uma demonstração perfeita de Sua misericórdia e Seu amor. Três dias depois da morte de Jesus, Deus o levantou dentre os mortos como nosso Redentor vivo, para provar que é o Filho de Deus (Rm 1:4).

Mas Deus demonstra seu amor por nós: Cristo morreu em nosso favor quando ainda éramos pecadores. (Rm 5:8)

Porque Deus tanto amou o mundo que deu o seu Filho Unigênito, para que todo o que nele crer não pereça, mas tenha a vida eterna. (Jo 3:16)

A morte e ressurreição de Jesus Cristo nos deram a oportunidade de receber perdão e encontrar paz em Deus. Talvez não pareça correto que a salvação seja um dom gratuito. Porém, as Escrituras ensinam que Deus quis revelar a magnitude de Sua graça e Sua bondade para conosco ao oferecer-nos a salvação como uma dádiva (Ef 2:1-7). Agora, ordena às pessoas em todas as partes que se arrependam e se distanciem de seu pecado, e confiem com humildade em Jesus para sua salvação. Ao render sua vida ao Seu senhorio e Seu controle, você pode receber perdão e vida eterna.

Porque o salário do pecado é a morte, mas o dom gratuito de Deus é a vida eterna em Cristo Jesus, nosso Senhor. (Rm 6:23)

Se você confessar com a sua boca que Jesus é Senhor e crer em seu coração que Deus o ressuscitou dentre os mortos, será salvo.
(Rm 10:9)

Milhões de pessoas em todo o mundo têm alcançado a paz com Deus ao renderem suas vidas a Jesus Cristo. Entretanto, é uma decisão pessoal.

Existe algo que o impede de render sua vida a Jesus nesse momento? Se compreender sua necessidade de perdão e estiver pronto para relacionar-se com Deus, recomendamos que ore agora e confie sua vida a Jesus Cristo. Seja sincero com Ele a respeito de seus erros e necessidade de perdão. Decida afastar-se de seu pecado e confiar nele e em sua obra na cruz. Portanto, abra seu coração e convide-o a entrar em sua vida para completar, mudar seu coração, e tomar o controle. Se não sabe como comunicar-se com Ele, utilize esta oração como guia:

Senhor Jesus, sei que tenho pecado contra ti e mereço o juízo divino. Creio que morreu na cruz para pagar meus pecados. Decido afastar-me agora de meus pecados e peço-lhe perdão. Jesus, quero que sejas o Senhor e dono de minha vida. Muda-me e ajuda-me a viver o resto de minha existência para ti. Grato sou por me perdoar e por preparar um lugar na eternidade para mim. Amém.

Se você orou com sinceridade e entregou sua vida a Jesus Cristo, felicitamos e incentivamos você a contar aos outros sobre sua decisão. Se o fez de coração deve dar alguns passos importantes para começar sua jornada espiritual.

Em primeiro lugar, é fundamental que encontre uma igreja que ensine a Bíblia, e que informe de seu desejo de obedecer ao mandamento de Cristo de ser batizado. É um rito importante que lhe permite identificar-se, publicamente, com Jesus, compartilhar sua fé com os demais e começar um novo caminho espiritual. Integre-se à igreja, comece a assistir de forma habitual e compartilhe a vida com outros crentes em Jesus Cristo. Eles o incentivarão, orarão por você e o ajudarão a crescer. Todos nós necessitamos de comunhão e de possibilidade de pedir esclarecimentos.

Além do mais, consiga uma Bíblia que seja de fácil compreensão e comece a lê-la alguns minutos cada dia. Comece pelo livro de João e siga adiante no Novo Testamento. Enquanto lê, peça a Deus que o ensine a amá-lo e caminhar por esta nova vida, confesse seus pecados quando fracassar e peça-lhe o que necessita. Enquanto caminhas com o Senhor, aproveite as oportunidades que Ele dá a você para falar da sua fé com os demais. A Bíblia ensina: "...santifiquem Cristo como Senhor no coração. Estejam sempre preparados para responder a qualquer que lhes pedir a razão da esperança que há em vocês" (1Pe 3:15). Não há maior prazer que conhecer a Deus e dar-se a conhecer! Que Deus o abençoe!

Apêndice VII

Como superar a pornografia

Não sobreveio a vocês tentação que não fosse comum aos homens. E Deus é fiel; ele não permitirá que vocês sejam tentados além do que podem suportar. Mas, quando forem tentados, ele mesmo lhes providenciará um escape, para que o possam suportar.
(1 Coríntios 10:13)

Pornografia é idolatria. Ela produz vício luxurioso que leva um homem ou uma mulher a render-lhe sua mente, seu corpo, seu dinheiro, seu tempo e sua pureza como um serviço. Transforma-se em um Deus e um amo perverso.

Quando Deus criou o sexo para que fosse desfrutado no limite do casamento, vinculou de forma permanente seu prazer aos esposos, ao amor, à intimidade e ao compromisso por toda a vida. Cada um desses elementos protege o valor da relação sexual e reforça a união dos parceiros casados. No santo matrimônio, o prazer sexual está fundamentado no amor, é desfrutado sem restrições, e conserva um valor imenso e muitos benefícios saudáveis. Não tem custo. Não produz vergonha. Não implica em culpa. Não traz remorsos.

A pornografia é o oposto. Remove do prazer sexual todo o seu propósito. Desconecta o estímulo sexual de seu fundamento no amor, no matrimônio, e no compromisso por toda a vida; e o vincula à luxúria, à vaidade, à irresponsabilidade, e à emoção perversa do pecado e das imagens impactantes. Em vez de ser uma recompensa divina, o prazer sexual transforma-se em algo imerecido, ilegítimo e sem propósito. É como cocaína sexual que atrai o indivíduo a uma armadilha, e depois viola sua mente e sua consciência, deixando-o viciado, entorpecido e despojado de toda moral. As pessoas que o rodeiam começam a importar cada vez menos. Deixa de encontrar alegria nas coisas boas e se entristece pelo pecado.

Sente-se culpado, enegrecido e sujo, espiritualmente, afastado de Deus e, emocionalmente, desconectado de seu cônjuge. Não é só isso, mas também dá lugar a Satanás e permissão para atormentá-lo com condenação, mentiras e acusações. Está muito pior do que quando começou.

Os vícios criam um pico de adrenalina que gera uma sensação prazerosa momentânea, mas deixam um vazio ainda mais profundo, que produz mais insatisfação que no princípio. Por isso, a pornografia apela para um novo estímulo em curto prazo, e mente, constantemente, para convencê-lo de que tal "êxtase" pode tirá-lo do poço. Entretanto, luxúria produz mais luxúria. E você fica atrapalhado em um ciclo que se forma como uma espiral e parece não acabar jamais.

Se em algum momento você sentir um apetite voraz por pornografia, deve compreender o seguinte: é a última coisa de que necessita, e jamais o fará sentir-se satisfeito. Corra. Está tentando saciar sua sede de amor legítimo com luxúria barata. Satanás sempre tenta a satisfazê-lo nas necessidades legítimas de maneiras ilegítimas. Na verdade, o que você anela, de fato, é intimidade com Deus, o único que pode tirar o vício de seu coração. Qualquer tipo de luxúria em nós revela que não temos nos deleitado no amor de nosso Pai celestial (1Jo 2:15-17).

Uma quantidade enorme de homens e mulheres têm vencido as tentações da pornografia aprendendo a caminhar em intimidade e obediência com Cristo em Sua Palavra e em oração cada dia. Jesus disse à mulher samaritana: "Quem beber desta água terá sede outra vez, mas quem beber da água que eu lhe der nunca mais terá sede. Pelo contrário, a água que eu lhe der se tornará nele uma fonte de água a jorrar para a vida eterna" (Jo 4:13,14). Seu espírito pode completá-lo e satisfazê-lo de forma que a pornografia jamais poderia. Tanto que é, suficientemente, corajoso para chamar a pornografia pelo seu verdadeiro nome: uma cloaca moral e um poço de mentiras.

- *Mente*, ao afirmar que o prazer sexual é mais importante que tudo;
- *Rouba*, ao abolir a intimidade e a honra do casamento, bem como o puro deleite do leito matrimonial;
- *Contamina*, ao endurecer sua mente, adormecer sua consciência e obscurecer seus pensamentos;
- *Diminui*, ao transformar pessoas feitas à imagem de Deus em prostitutas, meros objetos sexuais de sua luxúria;
- *Escraviza*, ao fazê-lo sentir que não pode deter nem controlar seus impulsos.

Isso deveria nos repugnar. Procure e estude as seguintes passagens que ensinam o que mais a luxúria pode fazer. Extingue a Palavra do seu coração (Mc 4:19); leva-o à autodestruição e degradação da mente (Rm 1:24); gera uma luta interior e tensão em suas relações interpessoais (Tg 4:1); produz um estado de frustração, ansiedade e insatisfação constantes (Tg 4:2); não lhe permite ver o que é mais importante na vida (1Jo 2:16,17); e desencadeia o juízo e o castigo de Deus (1Co 10:1-6). Com essas verdades e sérias advertências em mente, você deve decidir diante de Deus caminhar em completa honestidade e pureza (1Jo 1:7), em profundo arrependimento e vitória. A Escritura nos mostra como caminhar em liberdade das seguintes maneiras:

- Não permita que a luxúria continue dominando você. (Romanos 6:12)
- Elimine-a por completo de sua vida. (Efésios 4:22)
- Em troca, ponha a mente nas coisas que elevam. (Colossenses 3:1-5)
- Lembre que agora você pertence a Cristo. (Gálatas 5:24)
- Lembre que a graça de Deus dá a você poder para dizer "Não!" às exigências e enganos da luxúria. (Tito 2:12)
- Foge quando começar a se interessar novamente. (Timóteo 2:22)

- Seja como Jesus, disposto a sofrer em vez de pecar. (1 Pedro 4:1,2)
- Confie na plenitude, poder e ajuda do Espírito Santo para resistir com fidelidade. (Gálatas 5:16-25)
- Salve-se ao crer nas promessas de Deus de que Ele suprirá suas necessidades e jamais o deixará. (2 Pedro 1:4)

Deus tem dado a você tudo o que necessita para ser, completamente, feliz e realizado na vida (2Pe 1:3,4). E para isto, é necessário que vivas livre de toda pornografia. Se você foi escravizado a tal prática no passado, sabe bem quão fundo pode fazê-lo cair. Deus não quer que vejas alguém nu que não seja seu cônjuge. Admita-o. A força de vontade humana não é suficiente. Você necessita da graça de Deus.

Então, se você foi viciado em pornografia, confessa-o a Deus e a outra pessoa que seja seu confidente na área espiritual (Tg 5:16). Comece a memorizar a Palavra de Deus (versículos como 1Co 10:13; 2Pe 1:3,4; 2Tm 2:22, Fp 4:6-8 e Tt 2:12) e use-a para vencer as tentações. Deleite-se no Senhor cada dia. Ele é sua fonte de satisfação (Tg 1:17). Seja radical ao eliminar tudo o que pode fazê-lo tropeçar (Mt 18:9). Em tempos de batalha, mude seu foco e se concentre em orar pelos demais para distrair-se dos pensamentos pecaminosos (Ef 6:17,18). Envolva-se com bons amigos, e nunca deixe de procurar a vitória em Cristo!

Apêndice VIII

Sete passos para uma vida sexual melhor

Seu nível de satisfação durante a relação sexual tem mais a ver com o que se passa em seu coração, mente, e espírito, do que com o corpo. Muitas das vezes, não nos preparamos no âmbito emocional, espiritual e relacional para o sexo, e logo nos perguntamos por que o ato em si é apenas satisfatório. Como a relação sexual se fundamenta na força do compromisso, do amor e da intimidade entre os esposos, é importante solidificar estes elementos chave antes de se unirem fisicamente. Quando um homem e sua esposa se rendem por completo a Deus, se conhecem e se amam profundamente, e logo se entregam um ao outro sem restrição, a intimidade e a relação sexual disparam para uma nova etapa de deleite. E não é só isso, mas também que Deus é glorificado em meio a tudo.

Lembrem-se: a ideia de intimidade supõe conhecer e amar por completo. Para isso, é necessário que os dois sejam sinceros e sensíveis, e, logo, aceitem e afirmem seu amor e compromisso mútuo. Aqui, são expostos passos para ajudá-los a experimentarem todas as bênçãos criadas por Deus no casamento, e levar a relação sexual a um nível superior. Ao avançar passo a passo, irá aumentando a intimidade.

1. *Eliminem a culpa.* É necessário resolver toda questão que lhes pesem no coração ou na consciência. Assim sendo, dediquem alguns minutos a orar juntos, a ajustar sua situação com Deus, para que não haja nada de culpa que os corrompa ou aflija. Voltem a comprometer-se com o Senhor e com Seu senhorio sobre suas vidas.

2. *Eliminem a amargura.* A repulsa mal resolvida joga água fria no calor do romance. Assim sendo, além de acertar as contas com Deus, ajustem bem a situação entre vocês, sem permitir que

brote a amargura. Significa perguntar ao outro: "Já fiz algo que o(a) deixou ferido(a) ou aborrecido comigo? Há algo entre nós? Ofendi você de algum modo e não corrigi a situação?" Os dois devem pedir perdão com sinceridade e perdoar por completo um ao outro (Ef 4:32). Pois tudo é vital para a verdadeira unidade e a intimidade que ambos desejam.

3. *Eliminem o estresse.* O estresse e as preocupações podem distrair a mente e sobrecarregar o coração. Orem um pelo outro e por todas as coisas que têm preocupado vocês. Orem para que Deus intervenha nas circunstâncias. Peçam pelo futuro do casamento, e para que o Senhor proteja, bendiga, e fortaleça o outro. Deus acalma nossa mente através da oração, traz paz emocional e entrelaça nossos corações.

4. *Encham-se do amor de Deus.* Enquanto oram, peçam a Deus que lhes dê Seu amor e que os transforme em canal desse amor para o outro. Orem, também, para que Deus os encha do Seu Espírito Santo, que derrame Seu amor, gozo e paz sobre seus corações... e que com isto possam bendizer-se mutuamente (Rm 5:5; Gl 5:22).

5. *Transborde em ação de graças.* A ingratidão e o egoísmo diminuem, significativamente, seu nível de satisfação; não só na intimidade sexual, mas também em todos os aspectos da vida. Roubam a alegria de qualquer experiência, e fazem com que nos sintamos usados e sem valor em lugar de festejados e edificados (Pv 23:6-8). A ação de graças é uma maneira de concentrar a mente em coisas positivas de seu cônjuge e aumentar seu valor imensurável em seu coração e sua mente. Mas também, dedique algum tempo para agradecer seu esposo ou esposa por qualquer coisa que lhe tenha feito ultimamente, e deixe que faça o mesmo por você. Apreciem e valorizem o que cada um acrescenta à vida do outro.

6. *Declarem bênçãos.* Afirmem de forma verbal o amor e o compromisso em largo prazo entre vocês. Animem-se mutuamente mencionando o que mais admiram e respeitam no outro, as qualidades e peculiaridades que ainda o(a) atraem nesta pessoa especial.

Saibam apreciar-se com palavras, e recebam as expressões de amor e devoção mútua. "Favo de mel são as palavras agradáveis," afirma a Bíblia, "doces para a alma e saúde para os ossos" (Pv 16:24).

7. *Pensem no outro durante a relação sexual.* Celebre a unidade e o presente de Deus que é seu cônjuge. Ao deleitarem-se um com o outro e compartilharem a intimidade física, ambos deveriam concentrar-se por completo em satisfazer as necessidades e os desejos do cônjuge antes de si próprios. Deixe que o amor os uma em uma festa de afeto abnegado. E, enquanto o fazem, louvem ao Senhor com sua união!

"Entrei em meu jardim, minha irmã, minha noiva;
ajuntei a minha mirra com as minhas especiarias.
Comi o meu favo e meu mel;
bebi o meu vinho e o meu leite".
(Ct 5:1)

Apêndice IX

A Palavra de Deus em minha vida

Permita que essa declaração o aproxime, corretamente, da Palavra de Deus.

A Bíblia é a Palavra de Deus.

Ela é santa, infalível, verdadeira e completamente leal. *(Provérbios 30:5-6, João 17:17, Salmos 119:89)*

Ela é capaz de me ensinar, repreender, corrigir e instruir em justiça. *(2 Timóteo 3:16)*

Ela me torna apto e, plenamente, preparado para toda boa obra. *(2 Timóteo 3:17)*

Ela é lâmpada para os meus pés e luz para o meu caminho *(Salmos 119:105)*

Ela me torna mais sábio que os meus inimigos. *(Salmos 119:97-100)*

Ela me traz estabilidade durante as tempestades da minha vida. *(Mateus 7:24-27)*

Se eu crer em sua verdade, serei liberto. *(João 8:32)*

Se eu a esconder em meu coração, serei protegido em tempos de tentação. *(Salmos 199:11)*

Se eu permanecer firme na Palavra, serei, verdadeiramente, um discípulo de Jesus. *(João 8:31)*

Se eu meditar em suas palavras, serei bem-sucedido. *(Josué 1:8)*

Se eu guardá-la, serei recompensado e o meu amor aperfeiçoado. *(Salmos 19:7-11, 1 João 2:5)*

Ela é a viva, eficaz e penetrante Palavra de Deus. *(Hebreus 4:12)*

Ela é a Espada do Espírito. *(Efésios 6:17)*

Ela é mais doce que o mel e mais desejável que o ouro. *(Salmos 19:10)*

Ela é indescritível e para sempre firmada no céu. *(2 Coríntios 13:7-8, Salmos 119:89)*

Ela é a verdade absoluta sem mistura e sem erro. *(João 17:17, Tito 1:2)*

Ela contém verdades absolutas sobre Deus. *(Romanos 3:4, Romanos 16:25,27; Colossenses 1)*

Ela contém verdades absolutas sobre os homens. *(Jeremias 17:9, Salmos 8:4-6)*

Ela contém verdades absolutas a respeito do pecado. *(Romanos 3:23)*

Ela contém verdades absolutas sobre a salvação. *(Atos 4:12, Romanos 10:9)*

Ela contém verdades absolutas sobre o céu e o inferno. *(Apocalipse 21:8; Salmos 119:89)*

Senhor, abre os meus olhos para que eu veja a verdade e os meus ouvidos para ouvirem a verdade.
Abra meu coração para recebê-la pela fé.
Renove a minha mente para guardar a esperança.
Entrego a minha vontade para que eu possa viver a Tua Palavra em amor.

Lembra-me de que sou responsável quando a ouço.
Ajuda-me a querer obedecer o que o Senhor diz através da Palavra.
Transforme a minha vida para que eu venha conhecer a Tua Palavra.
Aflija meu coração para que eu compartilhe a Tua Palavra.

Fale agora Senhor.
Dá-me paixão para conhecer e seguir a Tua vontade.
Nada mais. Nada menos. Apenas isso.

PROVA DE FOGO

Nunca deixe seu amor para trás

Repetindo o sucesso do filme Prova de Fogo, este livro conta a história de Caleb Holt, um excelente bombeiro que vem enfrentando dificuldades em sua vida conjugal.

Com uma riqueza de detalhes, em Prova de Fogo descobrimos como Caleb e Catherine se conheceram e qual o papel do pai da Catherine nesse processo. Acompanhamos uma experiência marcante de Caleb enquanto recruta o que influenciou profundamente a amizade entre o casal.

Além disso, temos uma visão ampla e profunda do que se passa na mente de cada personagem, entendendo o ponto de vista de cada um de maneira profunda.

Escrito por Eric Willson, o livro Prova de Fogo nos dá informações valiosas não presentes no filme, surpresas e emoções que justificam a ação dos personagens da trama, não reveladas no longa metragem. O leitor tem a oportunidade de conhecer o passado e os anseios de Caleb e Catherine, assim como se deliciar com um romance de excelente narração. Baseado no filme de Alex Kendrick e Stephen Kendrick.

SUA VIDA À PROVA DE FOGO

Construindo a Fé que Sobrevive às Chamas

Como podemos permanecer fortes em meio a provas de fogo que, inevitavelmente, aparecerão em nossas vidas e, ainda assim, gerar frutos? O livro *Sua Vida à Prova de Fogo* nos mostra que podemos ser como as sequoias, que permanecem ilesas mesmo após séculos de incêndios florestais.

Utilizando-se de ilustrações do seu próprio cotidiano, e baseado no filme *Prova de Fogo*, Michael Catt apresenta oito maneiras para que passemos pelos desafios da vida, sem ceder às circunstâncias e às tentações do dia a dia, permanecendo erguidos e encarando os desafios no poder de Cristo. Transforme sua vida de maneira que seu casamento, suas finanças, sua fé e seus pensamentos se tornem à *Prova de Fogo*.

bvbooks

TEL.: (21) 2127-2600 – (21) 98889-4341 – WWW.BVBOOKS.COM.BR

bvbooks
LITERATURA AO ALCANCE DE TODOS